联合国世界水发展报告 **2015** （上卷）

可持续发展
世界之水

联合国教科文组织 **编著**

全球水伙伴中国委员会 **编译**

中国水利水电出版社
www.waterpub.com.cn

内 容 提 要

　　本卷论述了全球可持续发展进程中的相关问题，特别是水在应对可持续发展挑战中的作用，如供水、环境和个人卫生、城市发展、农业、能源、制造业和气候变化等各方面，并分别讨论了欧洲和北美地区、亚太地区、阿拉伯地区、拉丁美洲和加勒比地区及非洲地区面临的主要挑战，使中国读者得以了解不同地区在处理水问题中的做法和经验，便于国际间信息交流和共享；同时，对于中国相关部门处理水问题、应对水挑战也有着借鉴作用。

Original title：The United Nations World Water Development Report 2015 – Water for a Sustainable World

Published in 2015 by the United Nations Educational, Scientific and Cultural Organization under the ISBN 978-92-3-100071-3，ePub ISBN 978-92-3-100099-7.
© UNESCO 2015

Chapter 11，Europe and North America，by Annukka Lipponen and Nicholas Bonvoisin，© United Nations 2015
Chapter 14，Latin America and the Caribbean，© United Nations 2014

© UNESCO and China Water & Power Press 2015，for the Chinese translation

图书在版编目（C I P）数据

联合国世界水发展报告. 2015. 上卷，可持续发展世界之水 / 联合国教科文组织编著；全球水伙伴中国委员会编译. -- 北京：中国水利水电出版社，2016.1
书名原文：The United Nations World Water Development Report 2015
ISBN 978-7-5170-4251-8

Ⅰ. ①联… Ⅱ. ①联… ②全… Ⅲ. ①水资源利用—可持续性发展—研究报告—世界—2015 Ⅳ. ①TV213.4

中国版本图书馆CIP数据核字(2016)第087376号

北京市版权局著作权合同登记号：图字 01－2015－8329
审图号：GS（2015）2319 号

书　　名	联合国世界水发展报告 2015（上卷） 可持续发展世界之水
原著编者	联合国教科文组织　编著
译　　者	全球水伙伴中国委员会　编译
出版发行	中国水利水电出版社 （北京市海淀区玉渊潭南路1号D座　100038） 网址：www.waterpub.com.cn E-mail：sales@waterpub.com.cn 电话：（010）68367658（发行部）
经　　售	北京科水图书销售中心（零售） 电话：（010）88383994、63202643、68545874 全国各地新华书店和相关出版物销售网点
排　　版	中国水利水电出版社微机排版中心
印　　刷	北京博图彩色印刷有限公司
规　　格	210mm×297mm　16开本　12.75印张（总）　386千字（总）
版　　次	2016年1月第1版　2016年1月第1次印刷
印　　数	0001—1000 册
定　　价	98.00 元（上、下卷）

译者序

  水对人类和社会可持续发展起着关键作用，也在各国的经济发展过程中扮演着重要角色。然而，随着经济全球化的深入发展和全球人口的持续增加，气候变化和缺水问题给世界各国都带来了挑战，水资源短缺也越来越成为许多国家经济和社会发展的制约性因素。

  在应对全球水问题的过程中，各国政府做了大量工作，积累了有益的经验；联合国各个组织也积极地参与其中的各个环节，组织相关专家进行了许多研究工作，提出了解决各地区水问题的方案。

  本报告论述了全球可持续发展进程中的相关问题，特别是水在应对可持续发展挑战中的作用，如供水、环境和个人卫生、城市发展、农业、能源、制造业和气候变化等各方面，并分别讨论了欧洲和北美地区、亚太地区、阿拉伯地区、拉丁美洲和加勒比地区及非洲地区面临的主要挑战，使中国读者得以了解不同地区在处理水问题中的做法和经验，便于国际间信息交流和共享；同时，对于中国相关部门处理水问题、应对水挑战也有着借鉴作用。

  全球水伙伴中国委员会秘书处组织相关人员进行了《世界水发展报告2015》的翻译工作，参与人员（按姓氏笔画排列）包括：马依琳、王晋苏、孙扬波、池欣阳、朱庆云、沈可君、吴娟、张代娣、郑如刚、周天涛、姚淑君、贾更华、徐静、徐丽娟、董君、蒋云钟、彭竞君、蔡晓洁。

全球水伙伴中国委员会秘书处

2015 年 10 月

原版序一

　　水贯穿于可持续发展中经济、社会和环境三要素。水资源及其相关重要产业是减少贫困、实现全面增长、保障公共卫生、确保粮食安全、维护物种生存尊严和平衡地球生态系统必不可少的要素。

　　近年来，水问题日益突显，人们越来越认识到水资源的核心价值，也越来越理解实现联合国千年发展目标中关于使全球未获得可持续安全饮用水人口减半目标的重要性。从 1990 年到 2010 年，共有 23 亿人口通过改进供水管网和地下水井获得了改善的饮用水源。

　　《可持续发展世界之水——世界水发展报告 2015》的出版让我们看到，各成员国都在努力总结千年发展目标框架内成果，争取出台最能鼓舞人心的 2015 年后发展议程，并就应对气候变化的宏伟目标达成一致。《世界水发展报告 2015》向我们展示了水与几个重要领域之间的复杂联系，如健康、粮食和能源安全、城市化、工业增长和气候变化，也清楚地向我们讲述了当今世界水资源现状、不可持续增长对淡水资源的影响，并提出了应对这些挑战的建议。

　　《世界水发展报告 2015》由联合国世界水评估计划协调联合国水计划 31 个成员单位和 37 个合作伙伴共同完成，旨在为水行业内外的决策者提供数据和信息。如何利用（或者说滥用）水资源不应是水行业管理者独自做出的决策，可持续发展目标的实现需要更多的相关者参与其中。我呼吁所有的政府领袖、社会组织、私营部门联合起来，保护和分享我们最宝贵的资源，共同努力为全人类建设更加可持续的美好未来。

联合国秘书长　潘基文

原版序二

当前，世界人口不断增长，社会、经济和环境对水的需求不断增加，淡水资源正面临日益严峻的压力。这份报告正是在这个关键时期出版的。作为千年发展目标的截止年份，2015 年备受瞩目和期待，各国需要在这一年共同确定新的全球发展议程。

不可避免地，水与所有社会文化的发展密切相关。同时，发展也给水带来了压力，农业、能源和工业都对水资源利用与治理造成了影响。第一次可持续发展峰会已经过去 20 多年，许多国家仍然面临着消除贫困、刺激经济增长、保障健康与卫生、防治土地恶化和污染、推进城乡发展等诸多挑战。目前，仍有约 7.48 亿人口无法获得改善的饮用水，而 2000 年到 2050 年全球制造业用水需求预期还将增长 400％。

《世界水发展报告 2015》同时着眼于理想和现实，向我们预示了到 2050 年的未来水资源状况。水资源对实现全面可持续发展至关重要，支撑着人类社会的运转，维护着生态系统的功能，保障着经济的发展。想要实现这一理想，需要所有人通过务实合作切实行动起来，建立法律和机制框架保障水资源可持续管理，增加投资和金融支持保障水资源开发，改善供水条件和卫生服务。

一直以来，联合国教科文组织决心努力保障为全世界所有女人和男人提供公平教育、包容教育和终身教育的机会。妇女和儿童往往每天要花好几个小时为家庭取水，要让他们接受教育，首先需要把他们从这种繁重的劳动中解脱出来，让他们有机会行使受教育的权利，从而变得更加充实。这是尊重人权、消除贫困最基本的要求，也是本报告贯穿始终的一个重要理念的来源，那就是呼吁人们重视弱势人群、少数群体、妇女和儿童的基本需求。

我有信心，《世界水发展报告 2015》将为第 69 届联合国大会和出台新的以水为核心的全球可持续发展议程发挥重要作用。在此，我想感谢联合国水计划的所有成员单位和合作伙伴为完成报告所做的贡献以及为实现共同目标所做的承诺。我认为，本报告充分彰显了联合国各成员国团结协作应对挑战的决心。联合国水评估计划秘书处为完成本项重要工作发挥了关键作用。衷心感谢意大利政府和翁布里亚大区成为联合国水评估计划工作所在地，并为其运行提供了大力支持。

可持续水资源利用与管理是人类美好生活的关键，也是建设我们憧憬未来的要素。正因如此，这份报告至关重要。

联合国教科文组织总干事　伊琳娜·博科娃

原版序三

2015年是千年发展目标完成使命之年，新的可持续发展议程将登上历史舞台。这一年是难得的良机，激励我们坚强无畏而又充满活力地为了憧憬的未来而奋斗。

水一直是可持续发展的核心，与气候变化、农业、粮食安全、健康、平等、性别和教育密切相关。国际社会一致认定，水与卫生是实现众多可持续发展目标的关键。

作为联合国水计划主席，我为今年的《世界水发展报告》感到非常骄傲。这份报告内容充实，全面深入地阐述了当前水与卫生面临的挑战以及如何将挑战转化为机遇。

这份报告是各单位长期密切配合、团结协作的结晶。在此，诚挚感谢联合国水计划的所有同事所做出的杰出贡献，感谢联合国教科文组织世界水评估计划协助出版和发行本报告。

本报告是更好地理解2015年后发展议程中水与卫生角色的必读材料。我衷心希望，本报告能为制定未来战略、政策和行动计划提供借鉴。

联合国水计划主席、世界气象组织秘书长　米歇尔·雅罗

前言

1987 年，联合国世界环境与发展委员会（布伦特兰委员会）发表了《我们共同的未来》的报告，将"可持续发展"定义为"满足当前而不损害后代需求的发展"。自此，关于可持续发展定义的讨论、论文、文章、书籍不断出现，不胜枚举，都在力求加深我们对这一理念及相应举措的理解。

从 1992 年联合国环境与发展大会（里约峰会）到 2000 年联合国千年宣言和八个千年发展目标的发布，可持续发展逐渐渗透到整个联合国体系中，成为我们保护地球上所有生物后代赖以生存的有限资源的指导性原则。在这一变革中，2015 年还是另一个重要里程碑：千年发展目标到期，新一轮可持续发展目标即将登场，并将指导各国政府和国际社会共同建立可持续发展的世界。

作为新的系列年度专题报告的第二本报告，《世界水发展报告 2015》清晰地告诉我们，水是可持续发展必不可少的要素。确实如此，水是经济社会活动和生态功能维系过程中不可或缺的基础性自然资源。可持续发展要求我们必须妥善管理并保障人人都能公平享有淡水资源。

水与可持续发展的联系复杂微妙。本报告除阐述水与可持续发展的社会、经济和环境三个层面的关系外，还深入分析了水在解决当前发展中面临的最严峻挑战过程中的角色，从粮食、能源安全到城市化、气候变化都是如此。本报告还大量引入不同地区的信息，为决策者和实践者提供了许多应对涉水挑战的措施、行动和方法案例。

同此前发布的报告一样，《世界水发展报告 2015》的目标读者包括国家级决策者和水资源管理者。然而，我们希望，这份报告也可以在学术机构或更大范围内推广，为那些关注我们共同未来的人们提供帮助。

《世界水发展报告》最新版的出版得益于世界水评估计划、10 家牵头机构（联合国粮农组织、联合国经济和社会事务部、联合国开发计划署、联合国教科文组织、联合国人类居住署、联合国儿童基金会、联合国工业发展组织、世界卫生组织、世界气象组织，分别负责报告不同主题内容）和 5 个联合国地区经济委员会（负责报告地区性水与可持续发展情况）的共同努力。

本报告还得到了许多联合国水计划成员单位和合作伙伴，众多科学家、学者和非政府组织的支持和贡献，他们为报告提供了大量优秀素材。世界水评估计划技术委员会成员一直积极为报告编写团队提供技术指导和经验。感谢联合国妇女组织、世界水评估计划性别顾问小组和联合国教科文组织性别公平处的支持，同世界水评估计划其他出版物一样，本报告充分彰显了性别主流化这一特点。

报告开篇向我们描述了这样一个并不遥远的未来世界：水资源和水服务得到良好的管理，全世界人民都可以公平地享受水带来的最大利益。这个愿景并不是虚构的乌托邦，我们充分相信这样的未来世界可以实现。在这个世界里，水被作为基础性资源得到充分重视和良好管理，有效支撑可持续发展。这个愿景代表了《世界水发展报告》最前沿和创新的理念，那就是希望我们的读者了解，只要我们采取正确措施，改变现有一些做法，我们的世界就会有所改善。

尽管可持续发展的概念简单明了，而不同利益相关者通常是站在各自不同的角度去思考所面临的挑战和可能的解决方案。我们力求尊重事实、平衡中立地提供信息，将水与可持续发展最新动态呈现给读者。我们都希望通过制定新的发展目标、降低经济增长对水的依赖程度（或者说推动绿色经济）来创造可持续发展新模式。在这个过程中，我们衷心希望这本以事实为基础的报告能够成为一本实用、信息充足、内容可靠的工具书，为探讨如何实现我们共同的未来提供支持，为最终寻求妥善的解决方案提供帮助。

在此，我谨代表世界水评估计划秘书处，诚挚感谢联合国水计划主要机构和地区委员会，联合国水计划成员单位和合作伙伴，各位作家、作者、编辑及所有为本报告做出贡献的个人，感谢各位共同努力创作了这份独特而权威的报告。感谢联合国开发计划署为报告起草全过程提供了大力支持。

感谢联合国教科文组织总干事伊琳娜·博科娃女士为世界水评估计划和《世界水发展报告》编写提供的支持。

感谢意大利政府为世界水评估计划提供资金，感谢翁布里亚大区将联合国水评估计划秘书处设在佩鲁贾。他们为《世界水发展报告》的编写给予了很大帮助。

最后，感谢世界水评估计划的所有同事，他们的名字被列在了"致谢"部分。如果没有他们的无私奉献和敬业精神，本报告不可能完成。

世界水评估计划临时协调员　米凯拉·米勒图
首席作者　里查德·科纳

致谢

联合国世界水评估计划秘书处诚挚感谢所有参与编写报告的组织、机构和个人。

非常感谢联合国水计划成员单位和合作伙伴的突出贡献、真诚指导和全力支持。感谢联合国开发计划署在报告结构设计和主要内容选编中给予的帮助，并与斯德哥尔摩国际水研究所共同主办了《世界水发展报告 2015》编制研讨会。

《世界水发展报告 2015》还得到了世界水评估计划技术顾问委员会的认真校核、评价和指导。

特别感谢联合国教科文组织总干事伊琳娜·博科娃女士为报告编写提供的大力支持。

感谢国际水文计划水科学处处长布兰卡·吉姆内-希斯内罗斯女士及国际水文计划的其他同事。

我们还非常感谢意大利政府在与世界水评估计划合作谅解备忘录框架下的资金支持以及翁布里亚大区所做的积极协调。

内容协调员
Michela Miletto

首席作者
Richard Connor

过程协调员
Simone Grego

数据和指标负责人
Engin Koncagül

出版负责人
Alice Franek/Diwata Hunziker

出版助理
Valentina Abete

编辑
PICA Publishing

设计和排版
Phoenix Design Aid

赞助
意大利政府、意大利翁布里亚大区政府

世界水评估计划技术顾问委员会
Uri Shamir（主席），Dipak Gyawali（副主席），Fatma Abdel Rahman Attia, Anders Berntell, Elias Fereres, Mukuteswara Gopalakrishnan, Daniel P. Loucks, Henk van Schaik, Yui Liong Shie, László Somlyody, Lucio Ubertini, Albert Wright

世界水评估计划性别顾问小组
Gülser Çorat, Kusum Athukorala（联合组长），Joanna Corzo, Irene Dankelman, Manal Eid, Atef Hamdy, Deepa Joshi, Barbara van Koppen, Kenza Robinson, Buyelwa Sonjica, Theresa Wasike, Marcia Brewster, Vasudha Pangare

世界水评估计划秘书处
临时协调员：Michela Miletto
项目官员：Barbara Bracaglia, Richard Connor, Angela Renata Cordeiro Ortigara, Simone Grego, Engin Koncagül, Lucilla Minelli, Daniel Perna, Léna Salamé, Laurens Thuy
出版负责人：Valentina Abete, Diwata Hunziker
联络员：Simona Gallese
性别和地区监测员：Francesca Greco
管理员：Arturo Frascani, Lisa Gastaldin
安全员：Fabio Bianchi, Michele Brensacchi, Francesco Gioffredi
实习生和志愿者：Agnese Carlini, Lucia Chiodini, Greta di Florio, Alessio Lilli, Jessica Pascucci, Emma Schiavon, Maxime Turko, Sisira Saddhamangala Withanachchi

目录

水与可持续发展的三个层面　　　　　　　　　　　　　　　　第 1 部分

区域　　　　　　　　　　　　　　　　　　　　　　　　　 第 3 部分

对策及实施　　　　　　　　　　　　　　　　　　　　　　　第 4 部分

综 述

意大利翁布里亚特尔尼马尔莫雷瀑布
照片来源：Antonio Picascia

水是可持续发展的核心。水资源及其提供的各项服务是实现减贫、促进经济增长和保持环境可持续发展的基础。从保障粮食生产和能源安全到维护人类和环境健康，水促进人类生活质量的提高，推动包容性增长，对数十亿人口的生计和发展影响深远。

面向 2050 年：可持续发展世界中的水

未来世界实现可持续发展指日可待。水和其他自然资源在保障人类福祉、维持生态系统健康和促进经济发展方面发挥了重要作用。通过公平使用和高效管理水基础设施，人们可以得到稳定、经济实惠的水和卫生服务，获得充足和安全的水资源，过上健康的生活。未来的水资源管理、基础设施和相关服务将不断获得投资。实际上，水无论以何种形式存在都有宝贵价值，污水经处理后可产生能源、营养物质和淡水，实现再利用。人类居住区将与大自然的水圈和生态系统和谐共处，有效利用大自然的力量，减少人类的脆弱性，提高应对水灾害的能力。综合性地开发、管理和利用水资源，以及实现基本人权等将成为常态。未来，在一个公平和透明的机制框架下，无论男女，无论专业研究者还是普通公民，将在具有丰富经验和知识的相关机构的指导和带领下，共同参与水的管理。

不可持续增长造成的后果

不可持续的发展道路和失败的治理会影响水量和水质，使其经济和社会效益降低。未来，淡水需求会进一步增长，如果无限的需求和有限的供给无法平衡，则世界将面临日益严峻的缺水。

全球水需求从很大程度上受人口增长、城市化、粮食和能源安全政策以及宏观经济变化（如贸易全球化）、饮食结构变化和不断增长的消费需求等因素的影响。到 2050 年，全球水需求预计将增长 55％，增长主要来自制造业、火电和生活用水等。

水需求的竞争使分水难以决策，令一些对可持续发展至关重要的行业，尤其是粮食和能源生产的发展受到影响。"用水"和"用户"之间对水资源的需求竞争使得地区冲突风险进一步加剧，人们无法获得公平、持续的服务，地方经济和人民生活受到极大影响。

水资源过度开发利用往往是因使用过时的自然资源利用和管理模式而造成的。有些地方为了实现经济发展而毫无节制地使用各种资源，缺乏有效监管。地下水资源急速减少。据估计，全球约 20％的地下水资源已过度开采。由于长期的城市化进程、不恰当的农业种植方式、森林砍伐和污染使生态系统恶化，令大自然无法再提供生态服务，包括提供洁净的水资源。

长期贫困、无法公平地获得水和卫生服务、投资不足，以及水资源现状、利用和管理等信息的缺乏使得水资源管理步履维艰，也无法有效支持可持续发展。

水资源和可持续发展的三个方面

有限、脆弱的水资源，以及通过管理水资源提供服务的方式都制约了可持续发展的三个方面，即社会、经济和环境。

贫困和社会公平

能否获得生活用水对一个家庭的身体健康及维持其社会尊严至关重要。农业用水和家族企业生产用水是谋生、增加收入和促进经济发展的关键。投资改善水管理和水服务可以减贫并促进经济增长。旨在减贫的水干预措施可以为数十亿贫困人口提供改善的水和卫生服务，这些直接效益可以使人们的生活发生巨大变化，使人们更加健康，进一步降低健康成本，提高生产力，节省更多时间。

东帝汶的渔家女和丈夫在拉网
照片来源：UN Women/Betsy Davis

经济增长并不能带来更广泛的社会进步。在大多数国家，富有和贫困人口、能把握住新机会和未得到机会的人口之间的差距很大，甚至是一直在加大。获得安全的饮用水和卫生是一项人权，然而很多人，尤其是穷人、妇女和儿童却无法享受这项权利，生活因此也受到极大影响。

经济发展

水是生产绝大多数产品，包括粮食、能源和制造行业的必需资源。供水（量和质）必须稳定、可预计，才可以实现稳定可持续的投资，保障经济活动的正常运行。明智的基础设施投资行为应兼顾工程措施和非工程措施，确保水利设施有效运行和维护，推动实现必要的结构调整，促进经济领域更高效的产出。这通常意味着人们可以获得更高的收入，加大对健康和教育的投入，促进经济的良性发展。

通过推动在水的供应、生产、效率等领域利用最好的技术和管理系统，并改善水分配机制，可以增加收益。这些措施和投资能很好地应对当前水资源需求不断增长的趋势，保护好我们重要的环境资产，而这些都是供水和经济发展所赖以依存的。

环境保护和生态系统服务

大多数经济模型建模时都未考虑淡水生态系统所提供的宝贵服务，由此导致水资源不可持续的利用和生态系统的恶化。未处理的居民用水、工业污水和农业径流造成的污染进一步减弱了生态系统提供水服务的能力。

全世界的生态系统，尤其是湿地，都面临退化的局面。当前，大多数经济和资源管理手段都低估、忽视或未充分利用生态服务的价值。全面重视生态系统对水和发展的重要作用，追求人工和自然基础设施的综合效益，可最大限度实现生态系统的价值。

关于经济的讨论可以使决策者和规划者更加关注生态保护。生态系统价值评估显示出生态系统保护中涉水投资收益大幅高于成本。价值评估对开展生态系统保护时权衡利弊具有重要参考作用，也可以更好地服务发展规划的制定。推行"基于生态系统的管理"是实现水资源长期可持续的关键。

水在应对关键可持续发展挑战中的作用

水与可持续发展的关系远远超越了社会、经济和环境范畴。人类健康、粮食和能源安全、城市化和工业增长以及气候变化等关键领域的政策和措施都是可持续发展的核心，它们都会通过水得到加强或削弱。

缺少供水、环境卫生和个人卫生（WASH）使大量人口的健康和福祉受到影响，最终造成高额经济成本，包括大规模经济活动无法开展。为了使所有人得到安全的供水、环境卫生和个人卫生，需要特别在弱势群体中加快相关工作，并确保提供水、环境和卫生服务时没有区别对待和性别歧视。对水和卫生服务投资会产生可观的经济收益：在发展中国家，投资回报率约是 1 美元产生 5～28 美元的收益。5 年投资期，年均 530 亿美元投资便可使全球所有人获得安全的供水、环境卫生和个人卫生，而这一投资额还不及 2010 年全球 GDP 的 0.1%。

城市居民中得不到安全饮用水和卫生服务的人口数量在上升，这是发展中国家城市贫民窟快速增加，以及地方和中央政府没有能力（或不愿意）为贫民窟居民提供水和卫生设施造成的。预计 2020 年全球贫民窟人口将达到 9 亿，他们毫无应对极端天气的能力。因此，提高城市供水系统能力的同时应扩大系统覆盖面，满足贫困人口的需求。

到 2050 年，**农业**在全球范围内需增产 60%，在发展中国家需增产 100%。目前，全球农业需水增长率是不可持续的，农业需要提高用水效率，减少浪费，更重要的是提高单位耗水的作物产量。农业用水污染将进一步恶化农业发展环境，可以通过采取一系列更严格的管理、实施等手段和设置针对性强的补贴等综合性手段应对。

海地学生为枯竭的松树林注入新生命
照片来源：UN Photo/Logan Abassi

能源行业是耗水大户。为了满足人类对能源持续增长的需求，淡水资源将面临更严峻的压力，而其他行业，如农业和工业的用水将受到影响。因为其他行业也需要能源，所以可以考虑在行业发展中加强协作。最大限度地提高发电厂冷却系统的用水效率，提高风能、太阳能、地热能等能源的生产能力将是实现可持续的水未来的关键。

制造业的全球需水量预计从 2000 年到 2050 年要增长 400％，是所有行业中增长最多的，并主要集中在新经济体和发展中国家。很多大型企业已经在评估和减少用水量，并在减少供应链的耗水量上取得了大幅进展。中小企业面临同样的问题，虽然规模会更小，但这些企业缺少手段和能力来应对。

气候变化对淡水系统的负面影响预计将远远超过它的效益。目前研究估计，随着温室气体排放的增加，水资源在空间和时间上的变化将更为剧烈，水灾害的频率和强度将进一步增强。新数据来源、更好的模式和更有效的数据分析方法，以及设计适应管理战略等能帮助人类有效应对变化的、充满不确定性的未来。

地区视角

每个地区所面对的水和可持续发展挑战都不尽相同。

欧洲和北美地区面临的挑战主要是提高资源利用效率，减少废物和垃圾的排放，改变消费模式和选择合适的技术。在流域层面协调用水户，在国家层面和国家间加强政策协调性和统一性是未来数年的重点工作。

亚太地区的可持续发展与供应安全的水和卫生服务、满足不同用途的用水需求并减少同期的污染排放、改善地下水管理和提高应对水灾害的能力等挑战密切相关。

阻碍**阿拉伯地区**可持续发展的最主要水挑战始终是水资源短缺。不可持续地使用地表水和过度开采地下水造成缺水，威胁长期可持续发展。提高供水的措施，包括集水、污水再利用和太阳能海水淡化。

拉丁美洲和加勒比地区的首要重点是建立正规的制度体系，使水资源管理成为经济社会发展和减贫的一部分。另一个重点工作是确保人人获得安全的饮用水和卫生服务，实现 2015 年后发展议程的目标。

非洲地区发展的最终目标是持久而活跃的参与国际经济，同时，在开发利用自然和人力资源时不重走其他地区错误发展的道路。目前，非洲只有 5％的水资源潜力得到了开发，人均储水量只有 200 立方米（北美人均水储量达 6 000 立方米）。非洲耕地面积中仅有 5％实现了灌溉，不到 10％的水电资源得到了开发。

应对和实施

2015 年后发展议程

千年发展目标（MDGs）在整合公众、私人和政治力量共同解决全球贫困方面取得了成功。在水方面，千年发展目标助力改善了安全饮用水的供给和卫生设施。但是，实施千年发展目标的经验告诉我们，2015 年后发展议程需要建立一个不仅仅只是关注水与卫生，而是要涵盖更多领域、更加细致、并关注具体需求的框架。

2014 年，联合国水计划建议设立单独的水目标，涵盖①水、环境和卫生；②水资源；③治水；④水质和污水管理；⑤涉水灾害。设立重点突出的水目标将产生更多的社会、经济、金融和其他效益，并远远高于投入。这些效益还将扩展到健康、教育、农业和粮食生产、能源、工业领域和其他社会经济活动。

实现"我们希望的未来"

2012 年，联合国可持续发展大会（Rio＋20）的成果文件《我们希望的未来》指出，"水是可持续发展的核心"。同时，发展和经济增长给资源带来极大压力，对人类和大自然的水安全形成巨大挑

一位索马里妇女从联合国开发技术署在干旱地区支持修建的人工水塘中取水

照片来源：UNDP Somalia，Jalam，Garowe，Somalia

战。未来，满足粮食和能源生产、其他人类活动需求和生态系统的用水需求存在极大不确定性。这些不确定性是由气候变化造成的。

水管理是众多公共和私营部门政策制定者的责任。我们面临的问题是，如何促进责任分担，有建设性地形成合力和共同决策。

印度旁遮普利益相关者会议

照片来源：India Water Portal

治理

治水若想取得进展，就需要社会各界的参与，决策的权力分散在各行各业各阶层。比如，要发挥妇女在水管理和政策制定中的重要作用。

很多国家的水利改革停滞不前，但有些国家在实施水资源综合管理（IWRM）有关理念时取得了进展，包括实现了管理权力下放，建立了流域管理机构。流域综合管理很多时候被认为其初衷是为了提高经济效率，我们需要将更多的关注点放在公平和环境可持续性上，并采取措施加强社会、管理和政治责任。

风险最小化和利益最大化

投资水资源管理、服务提供和基础设施（开发、运行和维护）的各个方面可以创造显著的社会和经济效益。仅从健康角度看，投资饮水和卫生设施可以以低成本带来高收益。灾害预防、提高水质和污水管理也是物有所值的投资。利益相关者之间共同承担风险和收益是投资可行性的关键。

水灾在所有灾害中对经济和社会影响最大，极易受气候变化影响。规划、预防和协调一致的应对，包括洪泛区的管理、预警系统和增加公众对风险的认识等，都能提高社区应对水灾的能力。将防洪工程措施和非工程措施紧密结合尤其能够节约投资成本。

风险和涉水安全问题可以通过技术和社会手段缓解。大量案例显示，污水经处理后可用于农业生产、回灌城市公园和草坪以及工业冷却，有些质量达标的水还可与饮用水混合提供安全饮水。

现有的水资源评估往往不能与当前水资源需求接轨。评估对知情投资和管理决策至关重要，有利于跨行业决策、解决利益相关方之间的分歧和利弊权衡。

公平

社会公平是可持续发展的重要范畴之一，但长久以来并没有在发展和水政策中得到足够重视。可持续发展和人权都要求减少不公平，并为所有人提供水、环境和卫生服务。

因此，我们需要调整投资重点和运行方式，以便更加公平地进行水的配置和提供相关服务。有利于穷人的价格政策可以将成本尽量降低，并保证水费可以支持系统维护和扩展。

水价可以通过市场将稀缺的水资源进行分配，使其最大化地发挥其经济价值或其他形式价值。公平的水价和取水许可应保障取水和废水排放可以支持高效的运行和环境可持续，适应工业、大型农业、小型和自给农业的能力和需求。

与技术应用相比，公平原则的实施更能为我们的世界营造一个安全的水未来。

水的未来——展望 2050 年

世界水评价计划 | Richard Connor，Joana Talafré，Karine Peloffy，Erum Hasan 和 Marie-Claire Dumont

过去数十年间，对水需求的不断增长和错误的用水方式使世界许多地区都面临污染和缺水的问题。地区缺水的频次和强度在不断加大，对人类健康、环境可持续性、粮食和能源安全以及经济发展造成重大影响。

尽管水在可持续发展的各个范畴中的核心和不可替代的作用已逐渐被人们认可，但水资源管理和水事服务仍未在公众认识上和政府工作重点中得到足够的重视。因此，水经常成为保障社会福利、发展经济和维持健康生态系统的制约性因素。

事实上，世界有足够满足发展需求的水，但需要对现有的水的使用、管理和分享方式做出极大的改变。全球水危机不仅仅是水资源短缺问题，更是治理问题，我们需要在治水上下工夫，才能实现全球水安全。

到 2050 年，人类可以生活在水安全❶的世界。那时候，每个人都能稳定地获得质优、量足的供水，满足基本需求，并实现个人发展。人类不再受水污染、水生疾病和水灾的侵扰。女性将不再承受取水之苦累，无论男女都可以公平地获得水资源，

演化图
照片来源：Rhae

---

❶　根据联合国水工作组对"水安全"的定义，水安全即人类有能力保障可持续地供应质优、量足的水，维持人类生存和福祉，保障经济社会发展，保护人类免受水污染和疾病的威胁，并在和平、稳定的政治环境下维持生态系统。

从而促进社会的包容与团结。在和平和稳定的环境中，生态系统受到保护。地区和国家经济更加繁荣，与水资源获取相关的风险和不确定性都在减贫和经济发展长期规划中得到考虑。得益于教育、机构政策、科学和技术发展、经验和成功实践的分享，以及宣传政策和立法，人们的行为和态度都发生了变化。

通过大规模的城市基础设施建设和发展以及分散式小型水处理技术在偏远地区的应用，人人都可以获得水、健康和卫生设施，极大改善健康状况，过上有尊严的生活。无水卫生设施能通过处理人类排泄物来获得能源和有用的产品，并避免淡水污染，这些技术创新使水耗降低，人类取水和回灌到水生态系统和含水层中的水量需要达到平衡，这样才能保持可持续性。各种人类活动排放的污水应该得到收集并妥善处理，用于水资源再利用或回灌大自然，最大限度地再利用这些水资源是实现人人获得水资源的最有效做法。

到 2050 年，人均需水量和单位生产需水量显著低于 2015 年农业、工业和能源行业的单位用水量，这就使得人人可公平地享用水资源。主要耗水行业之间的竞争减少，将提高长期经济表现。雨水灌溉农业和人工灌溉农业的水生产力（如单位用水作物产量）显著提高，农业广泛实现高效用水。

由于先进农业技术、高效灌溉技术、可靠的污水再利用技术和尖端的水土保持技术的广泛应用，从整体上看，农业受降雨变化的影响在逐步减小，这得益于高效技术和有效、公平的水价制度，且生活用水得到满足。能源行业广泛采用节水技术（如干式冷却），低耗水能源（风能、太阳能光伏、地热能）的比重大幅提高，通过开发可持续水电，非洲撒哈拉沙漠以南地区和东南亚地区曾经得不到电力供应的数亿人口的用电需求将得到满足。用水管理的实施和强制执行以及节水生产的发展和应用，使得工业需水量降低，促进经济发展。

生态系统的管理和其他环境措施有利于增强适应能力，并得到广泛应用。这些措施保护了水资源、流域和河床，实现了农业和其他经济活动的节水和高效。

一致、透明的水统计系统能更好地计量经济和环境用水，更清晰地展示相关影响，促进可持续生产和消费模式的应用。因此，将经济增长从水资源利用和负面环境影响中去耦得以实现。

各行业生产链都离不开水，对这个问题的思考将促使我们更好地开展供水-需求管理。雨水收集和污水再利用等有效措施成为主流做法。全球市场和贸易流将受到全球水敏感认证系统的影响，使得无缺水压力地区能出口高耗水产品。水的经济价值得到认可，所有企业都会认真思考经济活动对水的影响。清晰、透明、公平和廉洁的管理机制将负责分水、供水和管理。

各国各地区将合作管理地球上主要的跨界河流和跨界含水层，水质和生态环境得到改善，国家关系更加紧密，管理能力得到提高，利益也得到分享。全球、区域、国家和地区各层面的合作、科技转让和持续的参与式对话等使多方共同参与的治水模式变得司空见惯。

在国家层面，各政府都采取水资源综合管理。水资源综合管理理念建立在对水资源包括地表水和地下水的理性、系统的认知基础上。它有利于各个领域包括农业、粮食安全、能源、工业、投资、环境保护、公共健康和公共安全等形成行之有效且适应的决策。

对水资源基础设施和服务（包括运行和维护）的投资，已成为政府开支的重要组成部分。政府采取灵活的方式实现可持续投资，并不断探索新的投资渠道。非政府投资（包括自身投资）和公平的税收支持公共部门完全回收水管理成本。低投资风险极大鼓励私营部门的参与。指导意见、法律法规、许可协议和合同得到完善和规范，同样有力地支持了水利基础设施和服务的可持续投资。生命周期规划使人们更好地认识水利系统开发、维护和更新所产生的短、中、长期成本。水利投资的灵活性使得中期纠错成为可能，并可以使投资计划更加透明、信息更易于获取，进一步增强利益相关者的责任心和主人翁精神。可持续投资对实现人人获得水事服务至关重要，这是水资源综合管理的核心。

技术、更好的管理以及有效的早期预警系统使得快速应对水资源变化和极端水灾成为可能。尽管全球温室气体排放大量减少，数十年人类活动造成的气候变化仍然会使极端事件的负面影响加大。气候适应战略的核心是统一地表水和地下水管理，改善并扩大蓄水能力，缓解枯水期的影响。

生态系统的重要性和价值以及它通过水提供的各项服务已被广泛认可。流域合作保护重点水系使得取水行为能与水文和环境的可持续相匹配，减少污染，并恢复生态系统，使水系统更有活力、更能适应气候变化。人工基础设施和大自然相得益彰，对它们协调管理能进一步减少成本，增加收益。城市设计更着眼于使人们亲近自然水系和社区公园，提高人民的生活水平，并使人们关注、参与水管理。

公平、无歧视、参与和责任成为治水的主要原则。国家法律支持将水权列为一项基本人权，很好地避免了潜在的不公平和社会排斥。从 2015 年到 2030 年，可持续发展目标及其设立的单独水目标集中了政治意愿，赢得了公众支持，并调动了资金投入。尽管这些都无法完全保证人人可持续地获得水，但它们使得新行动和国际活动充分考虑水对实现其他可持续发展目标的推动和制约作用，实现了跨部门、跨行业的合作。政策制定者、政治家、监管部门、司法机关、教育人士、资源分配者、学者和公民社会代表能利用自己的专业知识，共同合作，推动标准、协议和对水的认知，并研究如何更好地利用和保护水资源。

社会已普遍认可水在实现可持续发展中的重要作用，并认识到水是社会和经济活动以及生态系统良好运行的首要基础。

做到这点并不容易。

不可持续的增长

世界水评价计划 | Richard Connor, Joana Talafré, Erum Hasan 和 Evisa Abolina

1

由于不可持续的经济增长方式和不良管理模式,水资源面临着巨大压力,水质与水量均受到影响,又反过来降低了水资源的社会经济效益。面对持续增长的用水需求,地球上的淡水资源难以为继。除非恢复水资源供需平衡,否则经济增长也将难以持续。

1960—2012 年,全球国内生产总值(GDP)以每年 3.5% 的速度增长(World Economics,2014),而这种经济增长大多付出了巨大的社会环境代价。同一时间段中,人口增长、城市化、移民和工业化伴随着生产力和消费的增长,导致淡水资源的需求量不断上升。同样的进程还导致了水资源污染,加

剧了水资源获取压力,从而降低了生态系统和自然水循环的能力,难以满足全球用水需求的增长(MEA,2005a)。

1.1 全球用水需求增长

全球用水需求很大程度上受到人口增长、城市化、粮食与能源安全政策以及包括贸易全球化和消费方式不断变化等宏观经济因素的影响。

在 20 世纪,水资源开发很大程度上是由于人口增加造成粮食、纤维制品和能源需求增长。中产阶级收入大幅增加和生活水平不断提高带来了用水需求剧增,而这种增长可能是不可持续的。在供水

北京交通

照片来源:Li Lou/World Bank

紧张或供水条件脆弱地区，以及水资源利用、分布、水价、消费及管理各方面管理不善或缺乏规范的地区尤其如此。人们消费方式的转变，如肉类消费增加、住房面积扩大、机动车和家电等耗能设备使用的增长，则是造成生产及生活过程中耗水更高的典型原因。

据估计，社会生产各方面的用水需求都会上涨（WWAP，2012）。到2030年，在气候情况"任其发展"（BAU）条件下，预计人类将会面临40%的全球性水资源赤字（2030 WRG，2009）。

人口增长是另一因素，但与用水增长并不呈线性关系：在过去几十年中，用水需求增长率是人口增长率的两倍（Shiklomanov，1999；USCB，2012）。世界人口每年增长约8 000万（USCB，2012），预计2050年全球人口将达到91亿，其中24亿人居住在水资源分布最为不均的撒哈拉以南非洲地区（UNDESA，2013a）。

城市化进程加快（见第6章）导致特定地区集中出现淡水资源紧张的情况，特别是在旱灾易发地区。全球目前有超过50%的人口居住在城市，而其中30%的人口生活在贫民窟。到2050年，城镇人口预计将达到63亿（WWAP，2012）。发展中国家人口占全球总人口的93%，其中40%是贫民窟进一步增加的结果。到2030年，非洲与亚洲的城市人口将翻一番（联合国人居署，2010）。

农业和能源的过度抽水（见第7～8章）会加剧缺水情况。发电用水目前占世界总用水量的15%（WWAP，2014），预计到2035年将达到20%（IEA，2012）。农业已是最大的用水户，占全球淡水抽取总量的70%，占世界最不发达国家总用水量的90%（WWAP，2014）。采用有效的灌溉方法可大大降低用水需求，尤其是在农村地区。

影响水资源可持续的压力大多源自地方及国家层面，也来自相应范围的规划和发展进程。然而，这些规划和进程不断决定着全球经济的发展——资金投入、贸易、金融市场、国际援助和发展援助——影响着地方和国家的经济，反过来也决定了当地用水需求，制约了流域水资源可持续利用（UNDESA，2012）。

1.2 用水需求增加的潜在影响

各行业用水竞争将导致水资源分配决策难度增加。关系到可持续发展的关键行业，特别是粮食及能源生产行业的发展会受到限制。从人们关于生物能源的讨论中，已经可以窥见能源与农业生产行业间的竞争和微妙的平衡。生物能源生产多以玉米、小麦和棕榈油等农作物为原料，加剧了农业生产中，特别是在本已缺水的地区，对土地和水资源的行业内竞争（HLPE，2013），而且往往伴随着粮食价格的上涨。种植用于能源生产的粮食作物已经引发了关于未来粮食安全的伦理考虑和目前抗击营养不良行动的争论（Pimentel等，2008）。

人口增长、城市化、移民和工业化，加之生产和消费的增加，造成淡水需求的不断增加。

工业发展（见第9章）也会带来用水量的增长，对水质造成潜在影响。在部分地区，工业生产用水不够规范或执行不力造成污染骤增，导致经济活动的增加与环境服务的恶化密切相关。

"用水"和"用水户"之间的水资源竞争加剧了地域冲突风险和持续的用水服务不平等。在这对竞争关系中，人们常常忽略水资源和水生态系统的品质是人民生活和经济发展的质量的保证（见第4章）。在水资源竞争中，自然环境和边缘化弱势群体遭受的损失往往是最大的。

水资源短缺和管理体系不佳也可能导致国家和地区间冲突。值得注意的是，在世界263个跨界流域中，158个流域缺乏合作管理框架，其他105个机制中，涉及三个或以上流域国（邻近河流）的流域约占2/3，然而，不足20%的协议为多边性质（UNEP，2002）。这表明，目前缺失在双边或多边框架下管理共享水资源的合作机制、政治意愿和/或政治资源，并缺失分享潜在利益的有效机制。

水资源竞争的一个突出特点是政策抉择困难，这是由水—粮食—能源关系及三个行业分开或综合管理过程中的平衡取舍造成的。三个部门在社会正常发展中均为支柱，三者紧密相连，任何一个部门的决策都会不可避免地影响其他两个部门的决策，进而影响其他两者可利用资源之状况（WWAP，2014）。

自然资源利用和管理方式落后，以及经济增长过程中资源利用欠调节、少控制，往往是过度抽水的诱因。不可持续地利用地表水和抽取地下水会严重影响生态系统用水和涉水服务的水平，大大影响当地经济发展和人民生活质量。在世界许多地区，对水资源，尤其是地下水资源的评估失当，以及对相关信息视而不见的态度，造成了水资源管理的失败。

如果各国政府和其他管理机构的机制继续仅适用于某个行业的片面目标，那么基础联系中断还会继续发生。这种状况已经对边缘化和最弱势的群体产生了负面影响，也导致生态系统退化加速、自然资源耗尽，减缓了发展目标实现进程和减少贫困、化解冲突的进度（Bonn，2011；Nexus Conference，2012）。

1.3 水资源现状与获取

淡水资源经由降水和径流会出现分配与获取不均的现象，全球不同区域任意一年的水获取量也不尽相同。干旱地区和湿润地区、雨季和旱季的水量差别非常明显。然而，多年累计的平均数值显示，不同国家之间的人均水量差别很大（图1.1）。

气候变化会加剧水量变化，从而增加水资源分配和获取的风险（见第 10 章）。许多国家已经开始出现降水模式变化愈加明显的情况，而这将造成径流和地下水补给变化和水质变化，从而直接或间接地影响整个水文循环系统（Alavian 等，2009）。此外，由于气温升高和废热排出，造成水温上升，预计将加剧各种形式的水污染，包括泥沙、营养物、可溶性有机碳、病原体、杀虫剂和盐以及热污染，可能对生态系统、人类健康和水系统的可靠性和治理成本产生消极影响（Bates 等，2008）。

地下水是水资源供应、水生态系统功能和人类生活各个环节的关键。全球 25 亿人仅依赖于地下水资源来满足基本日常需求，数以亿计的农民在为全世界粮食安全做着贡献，但仅依靠地下水来维持生计（UNESCO，2012）。地下水为全球至少 50%的人口提供饮用水，地下水灌溉占全部灌溉用水的 43%（《地下水治理》，未注明日期），也维系着河流和重要水生态系统的基础流量。地下水资源获取的不确定性及其补充率为地下水管理带来严重的挑战，尤其是影响地下水在地表水匮乏时期的缓冲作用（van der Gun，2012）。

地下水水量正在减少，据估计，全球 20%的含水层被过度开发（Gleeson 等，2012），导致沿海城市出现地面沉降和海水入侵等现象（USGS，2013）。全球农业过度密集地区和多个大型城市周边的地下水位下降严重（《地下水治理》，未注明日期）。在阿拉伯半岛，淡水资源抽取作为内部可再生水资源的一部分，2011 年的抽取比例估计在505%（FAO AQUASTAT），且大量地下水储备实质上是跨界水（UNESCWA/BGR，2013）。

水资源获取率同样因污染而受到影响。有关水质的问题大部分是与密集的农业生产、工业生产、采矿、未经处理的城市径流和污水有关。农业工业化的不断加快导致肥料使用增加，这些污染和其他工业水污染源对自然环境和人类健康产生威胁。氮和磷酸盐是世界淡水中最常见的化学污染物（WWAP，2009），氮、磷酸盐负荷过量导致淡水资源和近海海域生态系统富营养化，形成"死亡区"，造成自然栖息地的退化（UN-Water，2013）。

人类对氮磷循环的干扰远远超过安全警戒线。据预测，到 2030 年，地表水和沿海地区的富营养化将遍布全球（UNDESA，2012）。此后，这种现象在发达国家或许会趋于稳定，但在发展中国家很有可能持续恶化。在全球范围内，到 2050 年之前，受水华侵袭的湖泊数量将增加 20%。

磷排放增速将会比氮和硅排放更快，大坝数量的增加还会进一步恶化这一情况（UNDESA，2012）。

由于城市化的持续发展、农业生产方式不当、植被退化、污染加剧，生态系统遭破坏，将致使环境供水的能力（如净化功能、蓄水功能）下降。生态环境退化后，无法自我调节与修复，丧失了延展性，进一步加剧了水质恶化和水量减少（见第 4 章）。

全球环境退化，比如气候变化等，已经达到相当严峻的程度，重要的生态系统正在接近临界点，一旦突破，就会引发严重崩溃（UNDESA，2012）。这是过去失败的决策机制造成的，这些机制的初衷是合理管理全球和各国的普遍资源、管理地球上的共享自然资源，但均未实现。尽管人们努力达成环境条约和协议，并围绕其开展合作，但直接影响到环境问题的决策往往被放到环境政策圈之外。正如

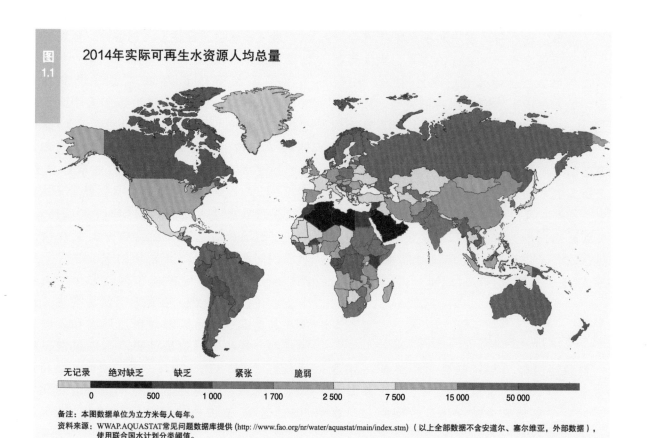

图 1.1 2014年实际可再生水资源人均总量

无记录　绝对缺乏　缺乏　紧张　脆弱

0　500　1 000　1 700　2 500　7 500　15 000　50 000

备注：本图数据单位为立方米每人每年。

资料来源：WWAP.AQUASTAT常见问题数据库提供 (http://www.fao.org/nr/water/aquastat/main/index.stm)（以上全部数据不含安道尔、塞尔维亚，外部数据），使用联合国水计划分类阈值。

目前很多发展方式所体现出的那样，任何经济逻辑的优越性，如果不能和社会环境的考量相结合，就意味着因为短期经济目标的实现可能以长期的环境目标的搁置为代价。

1.4　水资源管理制约因素

本章前几节为读者简要介绍了几种增加用水需求的进程、这些进程的可能后果，以及将对水资源造成的影响。然而，还有一些制约因素也对改善水资源管理带来了显著的挑战。这些因素超过任何一种"压力—状态—响应"式的分析，但也是真实可见的，当前在可持续发展背景下人们着力解决与水有关问题时应予以高度重视。

1.4.1　持续贫困

收入水平有限造成可得资源有限，持续贫困往往正是源于这种恶性循环。安全饮水和卫生设施是获得医疗、教育和就业的前提（见第2章）。过去15年间，消除极端贫困和饥饿是千年发展目标的首要任务。然而，到2012年，还有12亿人口仍然生活在极端贫困中（Lockhart 和 Vincent，2013），大部分住在贫民窟，通常都缺少足够的饮用水和卫生设施（UN-Habitat，2011）。据报道，目前已经达到可抽取水资源生态可持续的全球极限值（Barker 等，2000）。分地区来看，全球1/3的人口生活的地区已超过这一极限值，到2030年会超过一半（WWAP，2012）。除了卫生设施和清洁饮用水外，世界上8.5亿农村人口还缺乏农业用水，而农业生产几乎是他们最大的收入来源（Soussan 和 Arriens，2004）。如果不改善农业用水管理，这些地区的贫困情况还将持续（Namara 等，2010）。

妇女与青年受水资源和安全饮用水短缺的影响尤为突出，从而增加了持续性贫困人口的脆弱性。水政策的制定通常是基于笼统的观点，缺乏从性别角度出发的考虑和对当地情况的了解（WWAP，2012）。由于没有将性别考虑融入到水资源管理以及农业、城市供水、能源和工业等行业中，性别不平等现象仍将持续存在，由女性提出的创新性解决方案将可能无法得到采纳（WWAP，2012）。

大多数国家……水利基础设施的投资既不足又不可持续

1.4.2 获取饮用水和卫生服务过程中的歧视和不平等

社会经济发展不平等、缺乏有效解决的政策，较大地阻碍了千年发展目标的总体实现，特别是关于改善卫生设施和安全饮用水的目标实现（Donat Castelló 等，2010）。世界范围内，包括妇女、儿童、老人、土著人和残障人士在内的许多人获得安全饮用水和清洁卫生设施的机会较少（见第 5 章）。获得安全饮用水和卫生设施是公认的一项基本人权，基于种族、宗教、经济社会地位、性别、年龄或身体条件等因素的歧视往往制约了人们取得土地、水及相关服务的机会。这种制约会产生长期的社会经济影响，因为弱势群体更容易一直生活在贫穷中，没有机会接受教育、就业、参与社会活动。

人口增长也影响资源的获取。许多国家的城市化率很高，但当地政府提供充足的饮用水和卫生设施、改善服务的能力却无法与之匹配（UN-Habitat，2011）。人口从农村向城市的迁移不断地对基本饮用水供应和卫生设施服务（城市边缘的穷困地区与贫民窟尤甚）构成挑战，也给公共卫生，特别是防止霍乱及其他与水相关疾病的暴发带来威胁（WHO 和 UNICEF，2014a）。

在农村，需要建立不同的系统来维持城市环境中的条件，充足饮用水和卫生设施的提供也极具挑战性。缺乏基础设施和服务意味着许多人无法获得足够的卫生设施，必须以不安全水源为生。安全饮用水和其他基础服务、稀缺资源的缺失和创收机会不足，将进一步加剧这些群体的脆弱性。

1.4.3 用于水资源管理与服务的资金不足且不可持续

尽管水利服务在人类和经济发展历史中发挥了良好的作用，但在政策优先领域中仍然处于较低的位置。与其他部门尤其是教育与医疗领域相比，卫生设施和饮用水服务不管在官方发展援助（ODA）还是国家财政支出中都仅处于次优先的地位（UNDESA，2013a）。水利的这种低优先级直接违背了国家最大化可用资源的基本责任，即无歧视地

逐渐保障全体公民水与卫生人权的义务。尽管水资源管理是经济发展的基石，其资金却也通常处于低优先级地位（见第 3 章）（SIWI，2005）。

大多数国家的水利基础设施建设资金由政府拨款，但许多发展中国家仍依靠外部援助资金来补贴水资源管理部门与设施的费用。这是不够的，且不可持续。大多数国家水服务行业的财务规划信息不足，缺乏用水户信息及可能发挥作用的信息资料。基础设施运行和维护的成本往往被忽视或是没有很好地纳入水利调蓄工程建设中。因此，许多供水系统维护不当，导致供水系统受到损害，蒙受损失，失去可靠性，也降低了向用水户提供的服务数量和质量。有报告称，卫生设施资金尤为不足，在发展中国家，饮用水尤其占用了大部分可用资金资源（WHO，2012a）。污水处理资金更是长期被忽视。

尽管水利资金管理障碍长期存在，在人类发展指数（HDI）较低的国家中，50% 的国家报告称，过去 20 年，政府预算与官方发展援助对水资源开发与管理的投资一直在增加（UN-Water，2012）。

1.4.4 数据与信息

监测水的供应、利用和相关影响是一项持续性的重大挑战。关于水资源状况往往缺乏可靠和客观的信息，它们的使用与管理情况也通常较差、缺失，甚至难以获得。在世界范围内看，水的观测网络提供的地表水和地下水水质水量数据不完整、不适用，对废水的产生和处理则没有全面的信息（WWAP，2009）。各种研究与评估只能提供在特定时间和地点的水资源现状与使用的大致情况，却通常无法提供更为广泛而完整的详细信息，以体现出水资源不同方面如何在世界不同地区随时间而变化的情况。

在可持续发展方面，水通常是经济增长、人类福祉和环境健康的关键驱动因素，也是潜在的制约因素。缺乏这方面的信息将影响发展目标的政策连贯性和科学决策。比如，因获取的可靠指标太少，而无法较好监测提高水生产力措施的实施效果（WWAP，2014）。

从经济的角度看，有必要根据各经济部门增加指标对水资源数据信息及其用途进行匹配，以此评估水资源在经济发展中发挥的作用与贡献，更好地了解经济发展对资源及不同用户造成的影响。同样

地，对水资源维护健康生态系统的作用进行量化往往局限于对"环境流量"的确定（即维持淡水生态系统所需的水量及时间）。虽然管理淡水生态系统需要重要而有效的工具，环境流量通常是基于特定指示物种的要求，可能不会充分考虑生态系统及其对经济社会发展的影响之间的相互联系。

在人类福祉方面，重点在于监测安全饮用水供应和卫生服务，其中有很大一部分得益于千年发展目标 7.C 的实现进程。这里也长期存在着数据信息的挑战，比如怎样将"安全"一词量化为指标（见专栏 1.1）。在大多数国家，水质检测仍没有实现，所以难以确定改善水源是否能够为用水户带来"安全"水质，或者与水相关疾病风险是否仍然存在。此外，大多数国家不会报告获取"安全"水的其他方面问题，比如现有水量、可能的安全风险（取水的路途风险等）、取水或供水的次数与持续时间，

以及水的潜在成本过高等（Dar 和 Khan，2011）。

虽然已经取得了不小的进步，要求完全满足人类对获得安全饮用水的设想显然需要改善人类必需的许多资源。这种情况也突出反映了需要选择基于良好（且现成的）数据的目标指标，需要建立实施较好的监测机制。千年发展目标指标重点在于汇总成果，无法体现出用水条件的改善没有惠及贫困的老年人、残障人士、妇女儿童等最弱势群体。各项数据指标按照性别、年龄和社会群体进行拆分，对2015 年后发展议程中可持续发展目标（SDGs）的实现既是挑战，也是机遇（UN-Water，2013）。

虽然数据的可用性和可靠性仍令人存疑，在可持续发展背景下的水资源、服务、应用与管理各个方面可用的核心指标较少。本报告应用了其中已编入《案例研究与指标报告》中的几项指标（WWAP，2015）。

第 1 部分
水与可持续发展的三个层面

章节

2. 贫穷与社会公平— 3. 经济发展— 4. 生态系统

世界用水越南稻田的用水
照片来源：Un Photo/Kibae Park

序言提出了一个理想的未来，在这里水资源实现了可持续开发和利用，并能造福人类。虽然这一关于水的愿景有望于 2050 年实现，但是许多导致不可持续增长的障碍以及第 1 章所叙述的其他挑战，必须首先予以解决。

建立水安全的世界不仅仅只是一个目标，同时也是实现可持续未来的一个重要且必要的环节。可持续发展三个层面社会、经济和环境的进步常常受制于有限且脆弱的水资源状况，以及水资源提供服务和福利的管理方法。因此，当试图实现所有重要的可持续发展目标时，必须考虑到水的作用。

这份报告的第 1 部分包括三个章节，探讨水与可持续发展三个层面之间的复杂关系。第 2 章以贫困为切入点验证了水与可持续发展社会层面的关系。第 3 章列举出一系列论点，说明水是可持续经济增长的中心支柱。第 4 章描述了生态系统根本且无法替代的作用，以及生态系统在水与可持续发展相互作用的情况下提供的服务。

贫困与社会公平

联合国开发计划署｜Joakim Harlin, Marianne Kjellén 和 Håkan Tropp
世界水评价计划｜Richard Connor, Joana Talafré, Karine Peloffy,
Erum Hasan 和 Marie-Claire Dumont

2

2.1 水与贫困的关系

每天为水而拼争是贫困带来的可怕负担之一，尤其是妇女和女孩，她们花费大量时间用于长距离取水。水源常常并不洁净或价格昂贵，甚至有些群体被禁止使用某一特定水源。许多贫困的城市居民必须向不正规的供应商支付高昂水费，即使这样有时还是无水可用。人体缺乏充足和安全的水会造成长期虚弱和疼痛，而这通常是复发性腹泻和其他导致虚弱或死亡的与水有关的疾病所引起的。这种情形会造成时间的浪费、教育和就业机会的丢失。低收入和有限水源也意味着需要考虑将钱用于购买水、食物、药品以及交纳学费。在全世界范围内，有7.48 亿人无法从饮用水源的改善中受益，数十亿人无法获得安全饮用水。2012 年，25 亿人仍不能使用改善的卫生设施（WHO 和 UNICEF，2014a）。

家庭用水对于家庭健康和社会尊严而言至关重要。生产用水，如农业用水和家庭产业用水，对于维持生计、获得收入、创造经济生产力有重大影响。几乎 1/5 的世界人口——大约 12 亿人——生活在缺水地区（UN-Water/FAO，2007）。全球 1/4 的人口生活

在面临缺水问题的发展中国家，其原因是管理不善、人员能力较弱以及缺乏从河流和蓄水层输水的基础设施（Comprehensive Assessment of Water Management in Agriclulture，2007）。在实践中，这意味着利用水资源实现粮食种植和其他生产的机会十分有限。

水的获取与贫困息息相关。通过水资源管理实现减贫是一个面向贫困人口的有效框架行动，包含许多相互关联的内容，如管理问题、水质问题、获取水的途径、维持生计、能力建设和赋权、涉水灾害的预防和管理，以及生态系统的管理等。

水的获取也涉及土地的获得。在大多数情况下，土地的获得和所有权意味着拥有这片土地的降雨、河流和地下水资源。土地与水的相互依存常被忽视，并由不同的部门管理。

水与贫困的关系像一条双向道路。贫困会对水资源和服务的管理产生负面影响。贫困带来的绝望和制约可能会引起水资源的污染，并造成水资源不可持续性的使用。既然家庭和社区很难投资、运行和维护诸如农村水泵的基础设施，那么贫穷更易导致涉水投资的延缓。这给长期发展和减贫带来严重威胁（见专栏 2.1）。

专栏 2.1

供水投资：管理和投资减贫的重要性

薄弱的治理，加之较低的收入和较高的服务成本，使贫困人口更难持续用上水。即使在具备投资的情况下，可持续性仍然是一个严峻的挑战。2～5 年后，高达 30%～50% 的供水项目会失败。虽然不同国家的数字不同，但大约 30% 或更多的水源地无法发挥功能，而 10%～20% 的水源地只能实现部分功能。"农村供水网络整理的数据显示，在撒哈拉以南的 21 个国家中，平均 36% 的手动泵无法操作。"这些失败案例体现的是：在过去 20 年间，总投资已达 12 亿～15 亿美元。欧盟关于撒哈拉以南非洲地区 23 个供水和卫生项目的评估报告显示，大部分设备按照计划得以安装，但只有不到一半的项目成果能满足受益者的需要。多数采用了标准技术与当地材料的项目可能会得以可持续实施。但由于缺乏有效的协调、监测、收费、管理采购流程、收集传播信息的相关机制，或由于缺乏运行设备的能力，这些项目的成果和收益不会具有中长期的持续性，除非非关税收入得以保障。

资料来源：ECA（2012）、IRC（2009）、RWSN（2010）。

注：资料显示，不可持续的水、卫生和健康的投资正在增加；如，参见荷兰外交部公布的资料（2012）。

2.2 对公平的挑战

诸如巴西、中国和印度等许多国家已经在减贫方面取得了很大的进展。2013年人类发展报告（HDR）表明，到2020年，这些国家的经济总产出就会超过加拿大、法国、德国、意大利、英国和美国的生产总和（UNDP，2013）。与发展中国家的新贸易和技术合作伙伴关系还将推动这样的经济规模不断发展。然而，经济增长本身并不能保证社会更加广泛地进步。即使在这三个国家，贫困也像在其他地区一样，仍然维持在不可接受的水平。在许多发展中国家，在富人和穷人之间，在能否把握经济增长新机遇的人群之间，都存在很大并经常不断扩大的差距。这意味着在经济上升体中，进入好学校以及获得医疗、电力、安全饮用水和其他关键服务对许多人来讲仍然是难以实现的。其他诸如经济冲击、食品短缺和气候变化等挑战，可能会削弱近年来取得的经济和社会进步。

2014年全球风险报告发现，收入差距将最有可能在未来十年导致全球范围内的冲击（WEF，2014a）。超过80％的世界人口生活在收入差异日益扩大的国家（UNDP，2007）。2013年人类发展报告确定了四个保持经济增长势头的关键性领域：

①加强包括性别领域在内的公平性，②加大包括青年在内的居民参与比例与话语权，③防御环境压力，④管理人口变化（UNDP，2013）。

发展是为了改善民生，给民众参与影响生活决策的发言权，并扩大他们的自由、选择度和机会。从这个角度来看，世界各国的水资源分配方式都是有着重重问题的。以生产为目的的水资源分配，从农业到工业再到生态服务，都显而易见地存在不公平现象。一般来说，相对弱势的群体会被排除在获得水资源或决定如何分配水资源的过程之外。尽管水资源综合管理方法的指导思想是实现经济有效性、环境可持续性和社会公平性三者之间的平衡，但在实际情况下，在决定水的分配时，社会公平性这一思想通常不被重视（WGF，2012）。

非包容性的经济增长，加上水资源和服务的不当分配，以及工业、农业和家庭日益增长的水需求，都会增加社会更加动荡的风险，并容易引起社会紧张和冲突。经济的增长和消费者行为的改变会引起水需求的增长，因此在水的分配和使用过程中有很多工作亟待开展。需要建立更有效的分配机制，该机制应考虑到贫困人口的利益，并调解不同用户之间的矛盾（详见专栏2.2）。

专栏 2.2

保护贫困人口的利益：全球趋势的局部影响

根据水治理设施机构（WGF，2012）的分析，"在一个更加难以获得水安全的世界里，最脆弱的是贫困人口，他们或生活在城市非正式居住点，或生活在农村地区，靠雨养农业或草原放牧维持生计。为了保护这些人的权利，避免精英阶层独占资源，需要创造更能公平地分配稀缺水资源的方法"。

两种全球趋势正在相互影响：气候变化，以及最不发达国家和新兴经济体的增长型经济发展。这种相互影响必然会降低低收入国家贫困和边缘化人群的水安全，并增加通过分配水资源支持发展的紧迫性。经济合作与发展组织到2050年的环境展望（OECD，2012a）预计，到2050年，制造业和火电的用水需求将大幅增加，特别是在发展中国家和金砖五国（五个新兴国家经济体，包括巴西、俄罗斯、印度、中国和南非）。仅在制造业方面，总需水量到2050年预计将从7％增加至22％。金砖国家的用水需求将增加7倍，而发展中国家将平均大致增加400％。在经济合作与发展组织国家，用水需求预计将增加约65％。虽然用水需求的增加预示着经济的积极增长，但也意味着将面临如何在不同领域间分配稀缺水资源的巨大挑战，这些领域包括工业、能源、农业和生活用水。包括贫困人口在内的不同群体会受到何种影响也是一种挑战。

"在用水需求不断增加、水源地易发生变化的世界里，有效、公平、可持续地分配水资源，需要考虑以下事项：

- 市场机制（交易系统和基于评估的成本定价）在效率方面表现卓越，但当目标是提供用水与卫生服务时，或影响环境可持续性的外部事物未被考虑时，市场机制也会存在短板。

- 从效率角度来讲，当市场不能抓住水资源的全部价值时，其他机制不得不介入，将水资源分配给最高价值用户。但是"效率"和"最高价值用户"的定义通常是十分主观的。被边缘化的人群很难被看作"最高价值用户"，但是良好的发展实践表明，被边缘化的人群应被给予优先权。

- 冲突解决机制和交易管理评估准则经常被用于协调水资源在竞争性用户间的共享问题，如上下游利益相关者的共享。为确保强大的利益方无法控制或完全掌控过程，就需要准则发挥作用，保证贫困人口切实参与，官员承担责任，保持信息通畅（WGF，2012）"。

2.3 减贫的关键领域

水和经济发展密切相关，面向贫困人口的水干预措施可以带来直接、即视和长期的社会、经济和环境结果，改变数以亿计人口的生活。向改善水资源管理和服务进行投资是减少贫困和实现可持续经济增长的先决条件。贫困人口可通过改善水和卫生设施服务直接受益，具体表现为健康的改善、医疗成本的降低、生产率的提高，以及时间的节省。改善水资源管理可以在土地、能源、粮食和矿业等领域内外减少风险，提高生产率，并维护生态系统服务。

水资源管理可在减贫的四个领域做出贡献（UNDP/SEI，2006）：

加强生计安全与激励措施相关。激励措施可用于帮助贫困人口提高能力，促使他们利用现有条件创收，过上满意的生活。水是创造谋生机会的关键，有助于保持河流不断流，并确定生态系统服务的状态和完整性，贫困人口往往依赖这一生态系统以捕鱼或放牧为生。可靠的水源对于一系列粮食生产活动来说至关重要，如灌溉、牲畜饲养、水产养殖、园艺和其他类型的在农村和某些城市地区的生产活动。因此，水干预可以支持包括蔬菜生产、陶器制作或衣物洗涤等多元化的家庭谋生机会。

相对弱势的群体会被排除在获得水资源或决定如何分配水资源的过程之外。

降低健康风险与减轻某些社会和环境因素的影响相关，这些因素使贫穷和弱势群体——尤其是妇女和儿童——处于因疾病和营养不良导致过早死亡的高风险当中。水源性疾病，如腹泻和疟疾等与水相关的虫媒疾病，是死亡的主要原因之一，特别是会影响到儿童和其他弱势群体。改善健康和减少贫困的最有效的方法之一，是增加获得安全水和基本卫生设施的可能，以及保持良好的个人卫生。从经济学角度来看，这是一种极具吸引力的投资，回报率超过以往发现的许多所谓的生产活动。减轻贫困的另一个有效策略是提高诸如水库和灌溉系统的水利基础设施的设计标准和管理水平，以减少虫媒疾病的传播。

"欧洲的一个正常工作日"

照片来源：Svetlana Punte/European Commission DG EMPL

减少脆弱性意味着降低风险、减少动荡政治和经济危害的影响，扼制不可持续的环境趋势，降低涉水自然灾害的冲击。例如，洪水和干旱会影响发展，并置人于贫困和绝望之中。生态系统长期的退化、频繁的降水变化、水污染和土地退化会给贫困人口和长期发展带来额外的压力。投资改善蓄水以平衡雨季内和雨季间的水资源利用，并为洪水管理做好准备，也是减贫战略不可或缺的一部分。

为减少贫困而发展经济也是至关重要的。不过，重要的是经济增长的质量和新财富在社会中的分配方式。水资源管理和提供服务是这种经济增长的催化剂，反过来增长必须为贫困人口创造新的谋生机会。水在多个生产领域和多种层次提供了谋生和创业的机会，以发展提供服务的技术、提高服务的质量和改善基础建设的情况。既然能在就业和乘数效应方面为地区经济带来高回报，那么需要催生当地企业家尚未开发的潜力（详见第3章）。主要水利基础设施的建设能产生重大的国家和地区经济效益，并减少与粮食和能源安全相关的脆弱性。这样的投资需要做适当的影响评估，并与其他有关国家合作。然而，这些投资不是灵丹妙药，需要同时在灌溉、发电、作物多样化、机构建设、为农民和农村工匠提供更多机会，以及能力开发等方面进行小规模投资。在减贫的过程中，需要发展多元化的投资策略。

2.4 明确性别平等的目标

提高性别平等意识是改善水资源管理和取水的关键。过去的20年，性别意识大幅提高，女性在取水和完善水管理中扮演了重要角色。然而，尽管性别意识在国家发展规划和政策中不断主流化，但在基层的效果仍然有限。女性对当地水资源的分布和质量，以及蓄水方法有着一定的知识，但是这些知识没有被发掘，女性参与各级水资源开发和管理的决策也仍然是滞后的。例如，一项在南亚的研究认为，劳动力存在性别差异，因为女性参与劳动力市场面临众多挑战（如缺乏照顾孩子的便利或弹性的工作时间），并和女性受教育的机会有关，仅有少数女性喜欢学习工程专业，但这却是许多水行业当前需要的专业（UN-Women，2012）。

当前贫困人口取水便利的制约不仅仅是经济压力造成的，和社会政治压力以及环境压力也有关系，例如武装冲突和干旱。妇女和儿童可能不得不绕道取水，而此行为增加了其暴露在政治动荡地区的暴力之下的可能。

获得安全饮用水和卫生设施是一项人权，然而其在全球有限的实现常常对女性产生过多的影响。取水已成为许多妇女和儿童的日常家务，而这一现象具有一定的社会和经济意义。2012年的一项评估表明，仅减少15分钟步行取水的时间，就可将五岁以下儿童的死亡率降低11%，将营养流失造成的腹泻患病率降低41%。在加纳，减少步行取水时间15分钟，女童入学率就从8%提高到12%。在孟加拉国，一个为男孩和女孩提供分开的卫生设施的学校卫生项目使女童入学率年均增长11%（UN-Women，2012；Nauges和Strand，2011）。

经济发展

联合国经济和社会事务部/联合国宣传和沟通十年计划 | Josefina Maestu (UNDESA/UN‒DPAC)，Carlos Mario Gómez (Universidad de Alcalá)，Colin Green (University of Middlesex) Alan Hall (Global Water Partnership)，Xavier Leflaive (OECD)，Jack Moss (Aquafed) 和 Diego Rodriguez (World Bank) 特别贡献

3

3.1 水利基础设施带来的经济发展机遇

不论是发展中经济体，还是发达经济体，都需要依靠水资源和水利基础设施来维持可持续发展三个层面的活动和服务。经济发展在许多方面与水资源紧密相连，水资源是经济生产的基础资源，是大多数商品及服务交易的必要条件，是粮食、电力及许多工业产品生产的必须投入。因此，水利基础设施投资对全面挖掘经济发展潜力有着极其重要的促进作用（见专栏3.1）。

专栏 3.1

水利投资对经济增长的促进作用

20世纪50—60年代亚洲灌溉农业的发展使得谷物产量翻了一番，人均可用热量增加了30%。效益成本比率显示，与其他基础设施投资相比，供水及灌溉方面的投资可带来很高的经济回报率。地下水开发给许多农村地区带来了巨大的社会经济效益，并且保障了许多国家的粮食安全，改善了农村人口贫困情况。根据全球水伙伴的调查统计（2012），"在南亚，大规模地下水开发利用对贫困人口更加有利，对比拥有2公顷以下农田的农民和拥有10公顷以上农田的农民，前者增加的地下水灌溉面积是后者的3倍"。

非洲撒哈拉以南地区以及南亚地区正在小农户中不断推广使用小型灌溉设施耕作土地，调查表明，这些措施对于提高粮食产量、降低气候变化影响起到了积极作用（Giordano 等，2012）。

灌溉系统的发展，再加上频繁变化的降雨以及严重的干旱，必将对蓄水能力提出更高的要求。Quick 和 Winpenny（2014）研究指出，"印度中央邦地区在农场内修建水塘用于灌溉豆类及小麦的农民，其收入至少增加了70%，因此也能更好地进行畜牧养殖。在坦桑尼亚的旱季，农民现金收入的一半来自灌溉田的蔬菜种植"。

从长远看，水资源开发带来的效益融入经济发展的每一个角落。

供水的数量和质量必须得到保证，才能确保经济活动所需资金投入的可持续性。这要求硬件设施和软件设施都有充足投资，并得到可靠的运行和维护。此外，基础设施可降低缺水风险，并防御水旱灾害，这有助于降低脆弱性，提高经济对极端事件的顺应力，并最终实现国家的可持续发展（见专栏3.2）。

3.2 促进结构性转变

从长远看，水资源开发带来的效益融入经济发展的每一个角落。要促进发展中或中级经济体的结构性转变，对水利基础设施建设与水资源管理方面的明智投资同样重要。在农村地区，灌溉是实现农业现代化的前提，剩余投资形成的累积资本为工业发展创造条件（见专栏3.3）。

在社会及政治条件改善的同时，生活条件的改善为新的收入增长及其方式带来可能，形成资金结余、资本累积，从而为基础设施、健康及教育带来更多投入，为社会生产取得进步创造条件。生产能

巴基斯坦城市小额贷款项目（PPAF）首位女性领受者 Dhay

照片来源：Caroline Suzman/World Bank

水利基础设施投资：减少损失是主要的收益

肯尼亚 1997—1998 年的洪水造成了大约 8.7 亿美元的损失（约占 GDP 的 11％），1999—2000 年干旱带来的损失高达 14 亿美元（约占 GDP 的 16％）。平均而言，肯尼亚每 7 年经历一场洪水，损失约占 GDP 的 5.5％；每 5 年经历一次干旱，损失约占 GDP 的 8％，转化成长期年财政负债约为 GDP 的 2.4％。这意味着肯尼亚的年 GDP 增长率至少为 5％～6％才能改善贫困现状。而实际情况是，1996 年是肯尼亚的丰年，GDP 实际增长率仅为 4.1％（SIWI，2005）。

巴基斯坦 2010 年、2011 年、2012 年连续三年经历洪水灾害，对国民经济造成了巨大的损失，平均年增长率为 2.9％。如果没有经历洪水灾害带来的经济及人员损失，巴基斯坦的预计年增长率为 6.5％，而实际增长率不及预计的一半。

连续三年洪水造成了巴基斯坦 3 072 名人员死亡，经济损失达 160 亿美元。据巴基斯坦国家灾害管理局（National Disaster Management Authority）初步统计，洪水造成 105 万公顷作物无收，农业损失达 20 亿美元。

由于连年洪水打断了产业供应链，导致主要作物（如甘蔗、水稻、棉花等）歉收，工业生产受到影响，造成巴基斯坦严重的通货膨胀、失业率上升等问题（巴基斯坦政府，2012）。

水利投资：有益商业发展的明智之举

关于非洲的灌溉需求分析表明，非洲的内部收益率具有非常好的前景，从中非大规模灌溉的12％到萨赫勒地区小规模灌溉的33％不等（UN-Water，2013）。与其他基础设施项目投资相比，供水及灌溉项目投资的经济收益率相对较高，Foster与Briceño-Garmendia（2010）调研得出撒哈拉以南地区**基础设施项目投资收益率（百分比）**如下：

铁路修缮	灌溉	公路修缮	公路升级	公路维护	发电	供水
5.1	22.2	24.2	17	138.8	18.9	23.3

资料来源：表格摘自 Foster 与 Briceño-Garmendia（2010，Table 2.5，p.71），© World Bank. https：//openknowledge. worldbank. org/handle/10986/2692 License：CC BY 3.0 IGO.

力低下时，公共卫生状况不佳，缺乏教育机会，并形成恶性循环，使得社会陷入贫困，经济一蹶不振。此时，基础的供水和卫生服务是解放经济发展动力的必要条件，是改善这一恶性循环的钥匙。改善供水及卫生服务是较为集约地改善健康及教育状况的有效方法之一，同时解决两个问题：①为粮食、其他商品及服务的生产解放资源投入；②直接改善人力资本从而促进经济生产力。由此可见，基础水利服务投资带来的经济效益与改善贫困有着非常直接的关系（见第2部分和第5章）。

用Albert Hirschman的话（1958）来说，可以确定的是，如果供水得到改善，同时价格合理，那么就可以促进国民经济许多行业的进步。同时，生产力的改善带来收入增长，反过来促进卫生、教育投资，促进其他许多商品及服务的消费，形成经济的可持续动态平衡发展。

3.3 投资挑战

成功的水利投资可以通过其支撑的可持续经济的发展情况进行衡量，但是水挑战具有特殊的背景。有些国家可能以水电开发和灌溉等基础设施作为投资重点，以实现经济增长。然而，对水资源可利用量和水源保护的忽视意味着这些投资的表现可能会低于预期。在其他情况下，投资水利基础设施的技术和财政资源可能是充足的，但是由于缺乏机制，导致提供的服务质量不高或不到位。在另一些情况下，水利基础设施的社会效益是不言而喻的，但是这些服务的潜在受益者可能没有能力来支付服务费用，或者决策者可能不愿意收取费用。

水资源管理可以是资本高度密集型的。资本密集可带来规模经济和低运营成本。许多国家在缺乏资金或资本成本较高时会面临非常实际的问题。资本的可用性反过来会依赖于资本的回收能力。资本短缺，在某些情况下，决定了必须依赖低资本成本。此外，高运行成本的解决方案可能会使贫困人口用不起水。

3.4 提高用水效率的经济机遇

水挑战和发展重点随时间而变化。水作为减贫方法的效益在于重视基础设施建设，在国家经济发展初期激发水方面的经济增长潜力。一旦进一步发展的边缘效益下降，则必须要将重点逐步转向人员与机构的能力建设上，以提高用水效率和可持续性，并确保经济社会发展的效益。通过推广和使用最好的可用技术以及针对水资源供给、使用和分配的管理体系，将产生很多效益（详见专栏3.4）。

幸运的是，对最佳实践的广泛使用大幅度提高了效率，特别是在工业领域，更高的水资源使用效率往往带来盈利的增加。这强调了需要加强学习，并提高适宜技术的使用和推广。目前，速成学习和创新的能力是一个水管理组织必须掌握的。

3.5 行业间的交易

水是生产活动必不可少的投入，在能源和工业领域，决策者必须考虑水资源的可利用量；否则，无论是对私营企业还是公共行业的投资都将面临风险。在水力发电、灌溉、能源或城市发展等领域同时开展单独的项目，都可能引起缺水、资源不可持续的利用，或用户和当地社区之间的矛盾。例如，在生物燃料和水力压裂技术间的能源选择，在农作物选取和节水灌溉间的农业选择，都会对缺水或水污染产生直接的影响。这可以解释为什么联合国和很多国家的政府部门已经采取了水资源综合管理的方法。这一方法有待进一步推广（详见专栏 3.5）。

仍有很多机会可用较少的资源做更多的事

农业使用了全球 70% 的淡水资源，是通过提高用水效率增加生产力和减少贫困的最佳实践。

"田间水资源平衡分析表明，在撒哈拉以南地区的热带草原农业体系中，只有不到 30% 的降雨起到了促进作物生长的作用。因此，将农作物歉收统统归咎于'干旱'可能会在许多情况下妨碍找到更好的水资源管理方式（Rockström 等，2010）。"

在撒哈拉以南的非洲，农业生产力的提高可以通过农业实践与投入、信誉和市场、天气保险计划的融合来实现，但仅对水资源产生很小的影响（联合国粮食与农业组织，2012 年）。这些就是利用较少资源而能更多产出的方法。这些方法出色地协调了经济增长与水资源修复和有效保护的关系（Quick 和 Winpenny，2014）。

"滴水产粮"项目在水浇地生产出有氧水稻，使用水稻强化栽培系统以及其他农业生态的方法，不仅适用于大米的生产，也适用于其他作物［Africare、Oxfam America 和 WWF-ICRISAT，2010］。

水与生产的权衡

为了避免解决一个问题的同时恶化另一个，有必要了解经济的不同领域是通过水相互连接的。

尽管在过去几十年，供水取得了长足发展，但全球超过 80% 的废水（其中 90% 或更多来自发展中国家）未经收集或处理，而城市居民区是污染的主要来源（WWAP，2012）。工业废水已导致下游地表水和地下水层污染，并给人类带来重大的健康威胁（Bahri，2009）。诸如农业加工、纺织印染和制革等小规模产业会将有毒污染物排放到当地水域（WWAP，2012）。

城乡发展带来的土地使用变化，会加剧水土流失，减少土壤持水能力，降低地下水回灌和现有地表水的储量。这主要是因为河流和水库的淤积和沉降，并最终导致缺水。土地使用变化可能会带来湿地的损失，而湿地在调节洪水和干旱风险的重要性方面已有一定的研究基础（WWAP，2012）。森林砍伐和洪水风险的增加之间也存在一定联系，这一联系已在微观层面和一些具体流域得到证实。森林砍伐会导致流域的退化和荒漠化，并减少了下游地区安全用水的水量（FAO，2007）。

水开发可能会带来其他代价。它可能增加经济资产受干旱事件的影响，可能会降低水在河流和地下含水层的存储能力以补充降雨的不足。这一现象近期在美国有所报道，美国 2012 年的干旱影响了 80% 的农场和牧场，导致农作物损失超过 200 亿美元，并产生一系列连锁反应。根据国家干旱论坛（2012），"由于降雨减少，玉米大幅减产，影响到粮食生产和家畜饲养的供应及价格，以及玉米乙醇的生产。因为许多河流、湖泊、河口的水温升高，无法用于冷却，电厂不得不降低发电规模甚至停产。中西部地区家庭、社区和农场的水井不得不进一步深挖至地下含水层，以应对降雨的减少，并需要更多的电力运行泵站"。全部的花费预计达到 500 亿美元。

3.6 保护水资源

水利投资对新兴经济至关重要，确保充足且负担得起的供水可以支撑起整个经济体系。但是，投资重点需要逐渐转移，最后转向改变水和环境评估、管理和使用的方法。水利投资可帮助调节持续增长的用水量，以保护重要的环境资产，供水和经济发展均依赖这一环境资产。经济发展的可持续效益依赖于对保护水生态系统的投资（详见第4章），用来保护水生态系统提供的重要而各异的环境服务，经济发展也恰恰依赖于此（详见专栏3.6）。

投资水资源保护

改善水资源管理措施已被证明可以带来相当大的经济效益。在发展中国家，150亿～300亿美元用于改善水资源管理的投资可以带来600亿美元的直接年收益。投资于流域保护的每一美元在任何地方都可以在成本上节省7.5美元到近200美元用于新的水处理和过滤设施（SIWI，2005）。

一项全球经济评估表明，6 300万公顷的湿地年均价值为34亿美元（Brander和Schuyt，2010）。

在乌干达东部，帕利萨地区超过1/3的地方为湿地。每年来自湿地的商品和服务会为当地经济带来约为3 400万美元的效益，相当于每公顷500美元的价值（Emerton和Bos，2004）。

4 生态系统

联合国环境规划署 | Thomas Chiramba, Eric Hoa, Annie Von Burg (UNEP), Rob Sinclair, Salim Kombo (Nottawasaga Institute)

Peter Koefoed Bjørnsen, Maija Bertule (UNEP DHI), Isabelle Fauconnier (IUCN) 和 Glenn Benoy 特别贡献 (International Joint Commission)

4.1 背景

水生态系统是所有生物和一切发展的核心。然而，由于经济发展和人口增长不断向现有水资源施压，当前多数经济模式还没有对淡水生态系统提供的至关重要的服务予以足够重视，这个错误经常导致水资源不可持续利用和水生态系统退化。我们需要向环境可持续的经济政策转移，其基于生态系统的管理（EBM）充分考虑生态系统的内部互联以消除人类的影响，并满足健康且富有活力的生态系统的需求。基于生态系统的管理亟待成为确保绿色经济❶和可持续发展的解决方案中的一部分。

有了健康的生态系统，才能保证水及其他对人类福祉和发展至关重要的服务的持续提供。根据新千年生态系统评估（MEA，2005b），生态系统服务包括四个主要类别：

* 提供（如清洁水）
* 调节（如流量调节和防洪）
* 文化（如娱乐）
* 支持（如水生物的栖息地）

不同的生态系统提供着不同种类的服务。例如，湿地能削弱洪水，储备水源，以及提供其他有直接经济效益的产业，如渔业和旅游业。如专栏4.1所示，一种健康的生态系统能为维护环境、经济和社会福祉提供重要服务。再以森林高地为例，它在补给含水层、确保清洁的农业用水、水力发电和其他用途上有着重要作用。此外，在维护生物多样性、保持水土、作为野生动物主要栖息地等方面也至关重要（参见专栏6.2）。

专栏 4.1

重新连通长江流域中部的湖泊

50年来，湖北省的湿地生态系统及其1 066个湖泊，使长江流域的夏季洪水得以有效控制，保住了4亿人口的家园。然而，其中有757个湖泊已经成为圩田，隔断了相互间的连接，导致自1991—1998年发生重大洪水灾害，造成数百人死亡，损失数十亿美元，并造成由水产养殖和肥料带来的污染。

2002年，世界自然基金会可持续湖泊项目以自然设施绝佳的例证显示，河流流域可以提供天然防洪保护。洪湖、天鹅洲湿地、涨渡湖湿地的环湖水闸季节性开闸；而违规和不经济的水产养殖设施以及一些其他基础设施被拆除，污染随之得以减少。

这样做的结果是鱼类、野生动物的增加及物种的恢复。在这个项目开展之前，洪湖仅有100只苍鹭和白鹭；自其生态恢复后，现已发现45 000只越冬水鸟和20 000只繁殖鸟类。为增强湿地保护工作的有效性，一个连接17个保护区的自然保护区网络已经建立。2006年，湖北省政府实施了湿地保护总体规划，分配资源，至2010年湿地保护面积已达4 500平方公里。

在涨渡湖湿地重新连接的6个月内，当地人就受益于清洁水的供应，捕鱼量增长了17%。被412户渔业养殖户采用的生态认证渔业养殖法为赖以渔业生存的家庭增加了20%～30%的收入。

资料来源：WWF（2008）；Pittock 和 Xu（2011）；ICPDR（1999）；Scholz 等（2012）。

---

❶ 联合国环境规划署对绿色经济给出了一个工作定义，认为绿色经济能改善人类福祉和社会公平，同时显著减少环境风险和生态资源不足问题。简言之，绿色经济可被视为一种低碳化、资源高效性和社会包容性的经济形态。

厄瓜多尔亚苏尼国家公园纳波野生中心的旅游和生态保护区

照片来源：Peter Prokosch，http：//grida.no/photolib/detail/napo-wildlife-center-yasuni-national-park-ecuador_d911

4.1.1 基于生态系统的管理

联合国生物多样性公约（CBD）将基于生态系统的管理描述为"一种针对土地、水和生物资源进行综合管理的战略，它促使以公平的方式对资源进行保护和可持续利用"（CBD，2014）。生态系统的相互连接可见于维护与水相关的生态系统服务所需的水量，以及服务于维持水量的生态系统，例如湿地和森林（WWAP，2012）。诸如此类的生态系统间的相互关系通常被称为"自然基础设施"（NI），这是大自然为维护健康的生态系统并提供许多同等服务而形成的，相当于人类建造的基础设施。

自然基础设施利用自然环境和自然循环创造出更健康的环境，同时可能带来经济效益，因为一旦被损坏就需要投资来建造提供同等服务的基础设施。基于生态系统的管理证明，当生态系统之间的互连和协同提供服务被忽略时，这种可能带来经济效益的机会也就错过了。

在现有经济和资源管理模式下，生态系统服务仍处于价值被低估、不为人知、未被充分开发的处境。联合国千年发展目标框架没有充分认识到水与其他领域之间的互连关系，"可持续性"也未得到足够重视（UN-Water，2014）。

更为综合地关注水和发展的生态系统，可以确保利益得到维护。《联合国水计划报告（2014）》中提到全球水目标，在各种用户和用途中，保持水资源供应平衡的难度越来越大，除非焦点能够转移到水资源的可持续利用和发展以及能够使之实现的生态系统上。基于生态系统的管理解决了这些不足。一体化的基于生态系统的水资源管理思想将为2015年后可持续发展目标的实现发挥重要作用，其中包括水、卫生、健康、水质、水资源利用率、水资源综合管理和与水相关的生态系统。

4.2 挑战

全球生态系统，尤其是湿地，就其所提供的服务而言正在衰减。人口的不断增长和经济的快速发展加速了自然界的压力。直接导致生态系统退化的原因包括：基础设施的建设、土地转证、取水用水、富营养化和污染、过度捕捞和过度开采以及入侵性外来物种的引进（MEA，2005b）。

4.2.1 环境挑战

世界自然基金会2012年地球生命指数显示，

生物多样性健康指数自 1970 年以来已下降了 30%（WWF，2012）。不当的水资源管理方法正是这一指数下降的原因，例如，粗糙设计和操作不当的大坝扰乱了水流或使土壤的保水性退化。未经处理的居民用水、工业废水和农业径流污染弱化了生态系统承载力，使其难以提供包括水在内的服务。

气候变化对生态系统也产生了重大的影响。这对湿地及其提供的多种生态系统的服务产生重要影响。海平面上升将威胁生物多样性，与此同时，风暴潮发生频率增加和强度增强，将会加剧沉积物涌入河道带来的危害和变化（Boelee，2011）。

全球的生态系统，尤其是湿地，就其所提供的服务而言正在衰减。

这些环境挑战持续地影响着生态系统，也因此影响它所提供服务的质量，同时短期的经济和社会决策也会造成可持续。例如，为获得木材和薪柴而过度采伐森林，造成生态系统受损，包括其调节地下水位的能力。

4.2.2 社会挑战

退化的生态系统会导致粮食和水的不安全性，从而影响到弱势群体，尤其是最贫困人群。随着人口增长和生态系统服务功能退化，特别是那些在种族或经济社会方面已经存在着紧张关系的地区，其资源冲突爆发的风险更大。联合国维和人员称，自 1990 年以来，至少有 18 起暴力冲突事件是由开采自然资源引发的，无论是开采像木材、钻石、金矿、矿产、石油等高价值资源，还是像沃土、水等稀缺资源（UNEP，2009）。生态系统退化和气候变化极有可能加剧紧张局势。

4.2.3 经济挑战

经济发展可能导致生态系统退化，而生态系统的服务功能却能支撑经济发展，因此，真正的挑战在于建立健康生态系统的经济价值意识。

在某些情况下，人工基础设施会造成生物多样性丧失和生态系统服务功能退化，然而它往往直接依赖生态系统的服务功能来维持此种状况。例如，建造大坝一般为确保用水、防洪发电及其他服务。然而，大坝会阻止营养物和沉积物进入海洋，通过增加水分滞留时间改变水循环，通过改变河流中流动的物质和能量来完全改变生态系统的状况（Vörösmarty 等，2010）。这会对其他行业，比如下游渔业和农业，产生直接的和负面的影响。同时，大坝仅在健康生态系统支持时才能有效工作，不健康的生态系统会造成大坝被淤积物堵塞，受洪水毁坏或因污染而功能退化。大坝同样需要恰当的流域管理。因此，我们面临的挑战就是管理好水资源，保持人造和自然基础设施及其各自所提供的服务之间的有机融合。

当今粮食生产方式也是氮、磷、农药负荷和渔业枯竭的原因（Vörösmarty 等，2010）。据估计，由于土地使用方式的改变，1997—2011 年期间，每年损失的生态系统服务价值约合 4.3 万亿～20.2 万亿美元（Costanza，2014）。

水是工业和制造业的关键资源（例如加热、冷却、清洁、冲洗等），但产生的废水一旦未经处理，排出后将破坏环境。工业和制造业应承担起共同的社会责任，采取措施以确保排放水水质合格，并且支付所有净化水行动的费用。与此同时，制造过程也可节省处理潜在杂质的成本，从而受益于更干净的进水（Corcoran 等，2010）。

4.2.4 管理挑战

当前的水管理实践常常是支离破碎的，导致协同效应的缺失、均衡和次优的解决方案的欠佳。这种现象还蔓延至诸如卫生等部门，错失更广泛的战略良机（Boelee，2011）。跨部门的流域综合管理有利于对生态系统的保护，例如使河流的最小流量保持在生态流量之上，而目前分散的管理方式则难以实现。

不当的水管理（尤其是不当的污水管理）会造成污染导致生态系统的退化，带来社会和经济的损失。因为恢复一个生态系统远比保护它更为昂贵。简而言之，人们在关于健康的生态系统所带来的经济和社会价值的认识上存在基本的偏差。

水管理领域的决策者缺乏生态系统知识，由于资源和技术的不足使其难以授权社区在基于生态系统的管理中起带头作用。缺乏资源、技术和能力将影响到相关措施，如流域管理和其他保护规划的制定。现有的管理实践强调不惜以牺牲水质为代价来满足人类和环境所需要的水量。此外，这种实践还认为应首先满足人类用水的需求，而非环境需求，却没有认识到两者间的共生关系。

4.3 对策

解决威胁生态系统的问题需要采取减轻、扭转生态系统进一步恶化趋势的措施，而其中最重要的是预防。这些对策的本质对供水的水质和水量都有影响，尤其是被修复的生态系统并不总像原生态系统那样提供同等的服务功能（Boelee，2011）。采用基于生态系统的管理是确保水资源可持续的实质。

> **生态系统评估证明，在生态系统保护中与水相关的投资效益远高于支出。**

4.3.1 生态系统评估

利用经济学观点来讨论生态系统保护能吸引决策者和规划者的注意力。经济视角在评估权衡生态系统保护中举足轻重，并能更好地为发展规划提供信息数据（Farber 等，2002）。

广义而言，生态系统评估可以被描述为用户愿意直接为此服务付费，或者为建立取代服务的基础设施付费（Boelee，2011）。此类评估既可纳入国家收入账户，又能用于土地使用规划、生态系统服务付费（PES）和常见的资产信托等选项的比选（Costanza 等，2014）。此项评估有助于 2015 年后发展议程中提及的绿色经济。

生态系统评估证明，在生态系统保护中与水相关的投资效益远高于支出。据"全球生态系统服务价值变化"研究显示，2011 年全球范围内生态系统的经济估值为 124.8 万亿美元。同年全球生产总值估计为 75.2 万亿美元（Costanza 等，2014）。专栏 4.2 阐明了这种方法在微观层面上的应用。

4.3.2 自然基础设施解决方案

为了有效解决种种环境挑战，水管理者需要认识和利用自然基础设施，并将其纳入规划和实施方案（Dini，2013）。例如，沿河流、洪泛区和溪流建立"绿色走廊"，可使生态系统连通，从而吸收营养物质并减少水污染。

保护规划通常是应对式的，并没有全面考虑到生态系统过程可持续性相互关联的本质。而从自然基础设施的角度出发，就将重点放在了连通性上（EPA，2014），为环境决策创造了一个可持续性框架。自然基础设施解决方案应被看作经济有效的、长期的解决方案，其利用与水相关的生态系统服务，以增加、取代及（或）强化人工基础设施的作用，从而提供一系列广泛的益处以维持人类生存。它在适应气候变化影响方面的能力也更强。因此，正如表 4.1 所示，在多个政策领域都取得了投资收益。以表中涉及"水质净化和生物控制""重新连通河流与洪泛区"以及"湿地修复/保护"等为例，都显示出自然基础设施可取代"水处理厂"，参考专栏 4.1 关于长江的案例。

专栏 4.2

南非凡波斯生态系统的污水处理

南非西开普省的凡波斯生态系统中有大量湿地，而这些湿地的功能和价值近年来才得以发现。由于农耕和土地利用方式的改变，其中大部分湿地已经退化或者消失。生物群系中，湿地和土地利用方式在决定流域水质上都起着重要作用。

湿地作用下的水质改善使下游生态和居民均有受益。例如，防止污染能保护下游渔业不受污染之害，减轻对人类健康的影响，比如可以防止由于富营养化出现的藻类和水生植物的肆虐生长等。

凡波斯生物群系中，湿地的水处理能力经济效益是以"其提供相同服务的最小费用为基础进行估算的。比如，将除氮过程与人工水处理厂进行对比。据这项研究计算，湿地服务的价值为每公顷每年 12 385 美元，足够与土地开发利用一较高下"。

突出重要湿地的经济价值为自然基础设施吸引投资埋下伏笔。虽然政策变化没有直接受本研究的影响，但全球已有越来越多的研究表明深刻理解自然价值的需求在不断增长。

资料来源：**Turpie**（2010）。

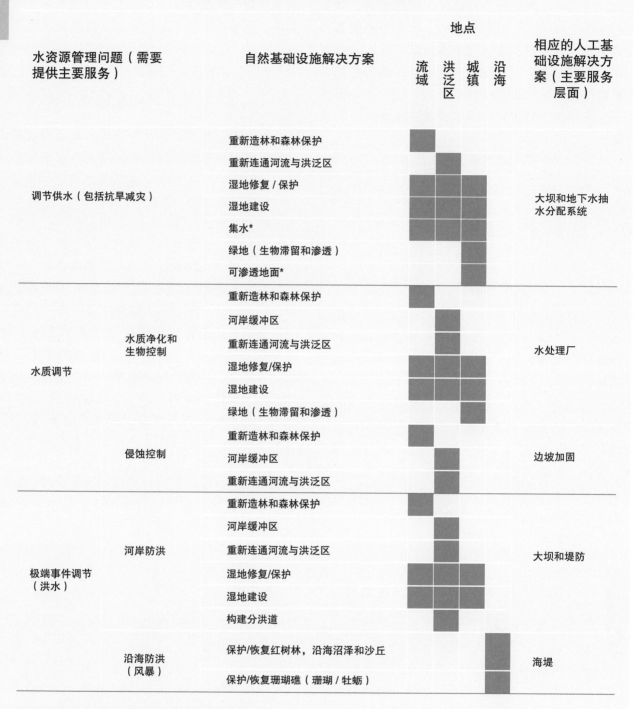

表 4.1　水资源管理自然基础设施解决方案概述

水资源管理问题（需要提供主要服务）	自然基础设施解决方案	地点：流域	洪泛区	城镇	沿海	相应的人工基础设施解决方案（主要服务层面）
调节供水（包括抗旱减灾）	重新造林和森林保护	■				大坝和地下水抽水分配系统
	重新连通河流与洪泛区		■			
	湿地修复/保护	■	■	■		
	湿地建设	■	■			
	集水*	■	■	■		
	绿地（生物滞留和渗透）			■		
	可渗透地面*			■		
水质调节 — 水质净化和生物控制	重新造林和森林保护	■				水处理厂
	河岸缓冲区			■		
	重新连通河流与洪泛区			■		
	湿地修复/保护	■	■	■		
	湿地建设		■	■		
	绿地（生物滞留和渗透）			■		
水质调节 — 侵蚀控制	重新造林和森林保护	■				边坡加固
	河岸缓冲区			■		
	重新连通河流与洪泛区			■		
极端事件调节（洪水） — 河岸防洪	重新造林和森林保护	■				大坝和堤防
	河岸缓冲区			■		
	重新连通河流与洪泛区		■			
	湿地修复/保护	■	■			
	湿地建设	■	■			
	构建分洪道			■		
极端事件调节（洪水） — 沿海防洪（风暴）	保护/恢复红树林，沿海沼泽和沙丘				■	海堤
	保护/恢复珊瑚礁（珊瑚/牡蛎）				■	

* 建造元素与自然特征相互作用以提升与水相关的生态系统服务。
资料来源：摘自UNEP/UNEP-DHI/IUCN/TNC（2014，表1，p.6）。

4.3.3　应对政策

未来数十年里，基于生态系统管理的重大决策将是如何解决"农业生产和水质""土地利用和生物多样性"和"水源使用和水生生物多样性"之间的权衡关系（MEA，2005c）。

虽然千年发展目标中强调的有关水和卫生设施的获取，是以人类的迫切需求为优先政策，但加强水资源的获取必须放在解决更广泛的可持续性问题的首位。2015 年后发展议程更加注重对生态系统、水质和灾害的管理，并且需要进一步的证据证明水资源基于生态系统的一体化管理的必要性。

自然资源管理者和诸如卫生、农业和工业等行业之间的协调与合作，对促进协同效应、整合应对环境、经济和社会挑战的对策，以及消除隔阂是必不可少的。对于政策制定和遵循，乃至参与规划和监测的利益相关者而言，合作极为重要，正如专栏4.3中的范例所示。政策应当包含激励措施，减少实施基于生态系统的管理手段时的运行瓶颈，例如生态系统服务付费、减少因森林砍伐和退化而产生的排放（REDD）和土地规划等。

国际环境机构之间的协调能减少隔阂，构建出有助于实施的框架。例如，《拉姆萨尔公约》就湿地保护的综合管理提出"明智地使用"这一概念，并已经与《世界遗产公约》《保护迁徙野生动物公约》及《生物多样性公约》等一起生效（Boelee，2011）。

相关政策应呼吁更多利益相关者（地方、区域、国家）的参与，包括发展中国家的农村妇女，事实上她们已经扮演了基层生态系统管理者的角色。妇女把她们掌握的知识运用到决策过程中，将有利于推动全球更多的关注国际环境问题和全面受益。

可持续污水处理是维持可持续生态系统服务的关键，对供水和水净化方面尤为如此。保护区可用来保护特定的生态系统，它所提供的服务对于更大范围的健康至关重要，能保护特定的濒危物种。这就要求与当地人在开展合作并平衡环境保护和经济活动之间的取舍。

必须采取如下行动来解决生态系统和生物多样性退化的问题：

- 消除耗尽生态系统服务的不正当补贴，为保护生态系统重新分配资金；
- 推广节水技术，提高农业用水效率；
- 通过合理的化肥使用减少营养负荷；
- 减少并改善采掘工业对环境的破坏性影响；
- 纠正市场失灵造成的环境恶化；
- 利益相关者更多地参与和能力建设，完善生态系统保护问责制和透明决策（Boelee，2011）。

基于生态系统的管理必须是适当的和可增值的，需要开始于有强调重点的一个具体目标，然后将这些措施应用于更广的范围。

专栏 4.3

健康生态系统和社区参与的跨界合作

国际联合委员会（IJC）是由美国和加拿大 1909 年签订《边界水域条约》的背景下成立的，用于解决和防止两国之间跨界水事纠纷。

该委员会 2012—2015 年期间采用了伊利湖生态系统优先原则（LEEP）。2013 年 8 月，IJC 发表了一份由两国科学家协作完成的报告，名为《伊利湖生态系统优先：减少营养负荷和有害藻华的科学发现和政策建议》。该研究重点关注整个湖泊范围因磷富集、气候变化和物种入侵等导致的变化。

报告包含减少排磷入湖的政策建议，经由联邦、州和省政府实施，包括将磷负荷目标制定为低于过去五年平均负荷的 40%。

接着，报告通过网络和户外两种方式在密歇根、俄亥俄和安大略省举办开放日活动，并于五大湖周期间在威斯康星州密尔沃基举办科学小组讨论会，向公众开放评论。公众参与有助于给报告带来更好的成果。

资料来源：IJC（2013）。

第 2 部分
应对危机加剧的挑战

章节

乌兹别克斯坦希瓦的妇女
照片来源：Global Water Partnership

水与可持续发展之间的相互联系远远超出了其在社会、经济和环境层面的涵义。水在有关可持续发展的各个方面都起到至关重要的作用，对可持续发展面临的各种挑战也有着重要影响，这包括人类健康、粮食和能源安全、城市化、工业增长和气候变化等领域。本报告第 2 部分对关键性"挑战领域"予以了定义。在这些领域中，涉及可持续发展核心内容的政策和行动会因为水而得以加强或减弱。

　　第 5 章略述了水、卫生与健康（WASH）在实现可持续发展中的作用，并概述了实现全面普及性可持续发展所面临的主要挑战。第 6 章介绍了快速城市化带来的挑战，并描述了城市应如何提供更多水资源可持续利用的机会。第 7 章着重描述了创建一个没有饥饿和营养不良的世界需要满足的要求。第 8 章描述了在不损害淡水资源可持续利用的同时满足不断增长的能源需求所需面对的挑战。第 9 章探讨了水资源在保障工业可持续发展中的作用。最后，第 10 章介绍了气候的多样性和变化对淡水资源可持续管理的影响。

水、卫生与健康

联合国儿童基金会、世界卫生组织 | Robert Bain，Richard Johnston*，Cecilia Scharp，Rifat Hossain*，Bruce Gordon* 和 Sanjay wijesekera

5

　　本章讨论了水、卫生与健康（WASH）在实现可持续发展中的作用，并概述了全面普及可持续发展所面临的主要挑战。

　　水、卫生与健康对生命和生活都至关重要，并为减贫和可持续发展奠定坚实基础（表 5.1）。作为基本需求，人人都需要获得足够的安全水，用于满足饮用、烹饪、个人卫生和卫生设施等需求，以保证个人健康和尊严。水、卫生与健康的缺失会严重影响健康和幸福，并给许多国家（不仅仅是最不发达国家）带来包括重大经济损失在内的巨额资金成本。这一影响在低收入国家最为明显，但在水安全和环境可持续发展方面存在不同认识的富裕国家也

将面临相同挑战。许多因水、卫生与健康缺失而造成的更广泛影响（如在教育、认知发展和营养方面）并没有被完整记录，而水、卫生与健康的不足是世界上最贫穷和最边缘化人口被剥夺的众多权利之一。

　　水与卫生设施的获取是公认的人权，并长期被列为国际发展政策的核心目的与目标（UNCESCR，2003；UNGA，2010）。在 1990—2015 年间，千年发展目标致力于"将无法获得安全饮用水和基本卫生设施的人口比例减半"（UNGA，2001）。世界卫生组织和联合国儿童基金会供水和卫生联合监测项目（JMP）表明，在过去的 20 年中，千年发展目标取得

表 5.1　关于可持续水、卫生与健康服务的标准以及对可持续发展的影响

可持续发展

经济	环境	公平
直接影响 ● 取水压力减小 ● 医疗费用降低 ● 费用可承担（包括穷人） **间接影响** ● 受过教育且健康的劳动力 ● 工业与商业	**直接影响** ● 减少水的浪费，避免过度开采 ● 对排泄物和污水的适当处理，以保护自然环境 **间接影响** ● 可持续环境服务	**直接影响** ● 疾病预防 ● 尊严 ● 学校出勤率，尤其是青春期女孩 **间接影响** ● 全面参与社会活动 ● 减少贫困 ● 性别公平

加强人权水、卫生与健康的标准：

规范：可用性、安全性、满意性、可接触性、可负担性
跨领域标准：无歧视性、参与性、责任性、影响、可持续性

资料来源：作者和UNGA（2010）。

---

　　*　作者是世界卫生组织工作人员。作者独自为本出版物中表达的意见负责，不一定代表世界卫生组织的意见、决定或政策。此外的任何内容都不应被解释为世界卫生组织在国家法律或国际法保护下所享有的特权和豁免的放弃，以及/或将世界卫生组织置于任何国家法院管辖之下。

了显著成绩，23 亿人口的饮用水得以改善，19 亿人的卫生设施得以提高（WHO 和 UNICEF，2014a）。在这些获得饮用水的人中，16 亿人现在享受到了更好的服务：并用上了自来水。但是，还有许多工作需要做——7.48 亿人的饮用水水质尚未得到改善，25 亿人的卫生设施亟待提高。此外，并非所有使用了改善设施人口的权利都能得到保障。例如，大约有 18 亿人的饮用水被粪便中的大肠杆菌（一项粪便污染指标）污染（Bain 等，2014）。

用肥皂洗手虽然不是千年发展目标的监测标准，却是个人卫生的重要组成部分。在全球范围内，用肥皂洗手后患病率非常低，但有数据表明 5 个人中会有 4 个人接触排泄物后不洗手（Freeman 等，2014）。此外，在消除关于水、卫生与健康服务的担忧以及确保服务的可持续性方面仍然存在许多挑战（详见专栏 5.1）。

5.1 对水、卫生与健康的投资带来的回报

在水和卫生服务方面的投资将带来巨大的经济效益。在发展中地区，每 28 美元的投资可得到 5 美元的回报（WHO，2012b）。总体而言，5 年间 530 亿美元的投资就可普及这些方面的服务

（Hutton，2013）——这只是一个小数目，不足 2010 年全球化世界产品价值的 0.1%，但可获得数倍投资回报率。

尽管投资具有相当大的效益潜力，但是在很多情况下可持续融资尚未形成，在谁应该付款、投资壁垒有哪些等方面还存在诸多问题。在许多情况下，资本投资缺乏足够的财务规划或用于维护、运营和监测的投资（AMCOW，2011；Water Aid India，2008；Barnard 等，2013）。这导致服务在质量、可靠性、可接受性等方面水平低下、服务接受率不高，在有些案例中甚至会造成永久性失败。这种不可持续的融资不仅降低了效益，而且浪费了可用资金及其使用价值。

从用户的角度来说，水、卫生与健康服务的可承受能力尤为重要，会影响到服务的可能性，尤其对贫困人口来说。对水与卫生的融资（包括居民需支付费用的比例）差别很大，因为支付水与卫生服务的意愿是不同的（WHO，2014）。关于居民支付费用比例的数据很少，通常为各国国内数据，因此很难评估最贫困者的可负担值。在大多数国家，如果每单位水只有少数用户付费，则会使成本结构退化。也存在很多例外，如在南非（详见专栏 5.2），基础服务是免费向终端用户提供的。

专栏 5.1

水、卫生与健康的不可持续案例

- 社区服务长期瘫痪
- 无法有效处理废水或安全处理排泄物
- 管道渗漏或间歇性断水
- 缺水加剧，不重视生活供水
- 用于运行维护的投资不足

资料来源：UNGA（2013）。

专栏 5.2

南非关注最贫困人口，带来更公平的水、卫生与健康服务

"在废除种族隔离后，南非政府把提供包括饮用水、卫生和能源在内的基础服务列为工作重点，设立为居民提供免费的基础用水与卫生服务的政策框架（成本控制在每天 1 美元以内）。2012 年，享受了免费用水和卫生服务的人口分别为 347 万人和 184 万人。"

"在提供基础性水、卫生与健康服务时，资源被有偿提供给下级部门。以防出现违规，加强了监督工作。尽管免费服务尚未覆盖全国，但已取得显著成绩，即贫困人口与农村人口均已获益。但是，如何吸引并留住专业人才来管理、运营、维护水、卫生与健康基础设施仍面临挑战。"

资料来源：WHO（2014, p. 4）。

为了实现服务的全部效益，需要将确保服务的持续性作为强调的重点。在许多情况下，不能提供每天间歇性的（甚至在大城市也有类似的问题）或不能保障社区水源与卫生设施的功能而无法长久维持服务。失去功能的管道和未被使用的卫生设施，是不可持续融资或导向错误的融资的典型后果，也是供需矛盾的一种体现。这说明需要提高责任心，加强监督，同时要为可持续的运行和维护适当融资。这一问题不仅仅局限于低收入国家。美国对老化基础设施更新改造的投资赤字到 2020 年预计将达到 840 亿美元（ASCE，2011）。由于机会成本是投资回报的重要组成部分（WHO，2012b），出于确保良好卫生健康的考虑，为更高效利用时间，水服务网点应尽可能地设在居民区附近或最理想的是设在家中。

5.2 环境含义

家庭用水量，特别是饮用水，相对于农业和工业而言一般非常小：每人每天 20 升的饮用水和卫生用水是"基本"用量（WHO，2011）。生活用水占淡水汲取量的 11%（FAO，2011a）。然而，获得水和卫生服务的便利与水管理政策和实践密切相连。无序的取水会影响当地水资源的可用量与水质，并最终对水服务带来负面影响。气候变化也将影响水资源的可用量，部分由于更加频繁与严重的洪水灾害，会对已紧张的资源产生更大压力，并增加污染风险（WHO/DFID，2009）。

在其他领域的环境污染也会影响提供充足优质饮用水的能力，或增加相应的成本和能源消耗。保证水安全就需重视水安全综合规划的整体要素，如保护水源地，合理使用化肥和农药，减少工业污染等。

在许多低收入国家，由于缺乏对市政服务的信任，瓶装水成为富人的一种特权，这加剧了社会的不公平。

随着社会的发展，水的使用模式发生了变化。全球多元水源利用的发展趋势表明，对自来水的使用将成为重点，特别是在城市地区。自来水的使用可以大大提高社会幸福程度，但同时会增加人均用水量，对当地水资源和污水处理设施造成更大的压力。此外，住户调查显示，在多个国家出现了包装水（瓶装水和袋装水）使用量的显著增加（详见表5.2）。尽管 2010 年全球范围内只有一小部分人（预计 6%）主要依靠瓶装水（WHO 和 UNICEF，2012），但是包装水引起的环境可持续性问题（特别是塑料废弃物）和这种趋势的经济负担能力已经引起了一定关注。在许多低收入国家，由于缺乏对市政服务的信任，瓶装水成为富人的一种特权。

卫生设施的匮乏和对排泄物的不善管理，对环境产生了恶劣影响。在许多国家，与下水道连接的卫生设施仅仅意味着增加了设施的连通，却缺乏对污水处理和处置的重视。虽然缺少数据，但估计即使在中上等收入的国家，75% 排入排水设施的家庭废水得不到有效处理（Baum 等，2013）。排放未经处理的人类排泄物对环境的影响是十分严重的，对河流、湖泊、沿海水域都会造成负面影响。此外，世界卫生组织和联合国儿童基金会的供水及卫生联合监测项目显示，现有 10 亿人不使用卫生设施而露天排便（WHO 和 UNICEF，2014a）。露天排便不仅对社区的健康带来显著风险，也会对水与环境造成严重后果。从可持续发展的角度来看，理想的方案是富有成效地使用废水，特别是在农业方面，从而减轻对水资源和污水处理设施的压力，并避免了营养损失。在对污水进行处理时，如能减少污水的产生量，则可以提高污水处理的能力和效率。在污水管理和处理得到显著发展的国家，降低能源的消耗将是一个主要挑战，需要创新方法。

秘鲁卡亚俄省凡塔尼拉区柯达德派查库特棚户区的公共厕所
照片来源：Monica Tijero/World Bank

表
5.2

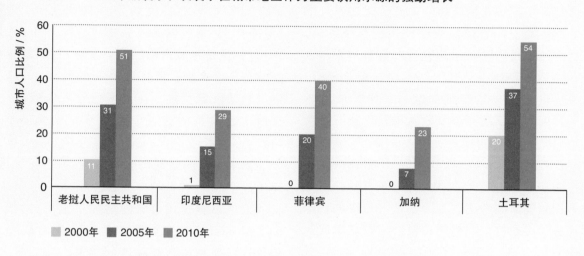

2000—2012年瓶装水和袋装水在城市地区作为主要饮用水源的强劲增长

资料来源：作者对世界卫生组织和联合国儿童基金会的供水及卫生联合监测计划汇编材料数据的分析（JMP）。

5.3 减少差异，加强服务

无论从可持续发展还是人权的角度，都要求减少不平等，缩小获得服务的差距（UNGA，2013）。明确水与卫生基本人权的规范和跨领域标准，可用于判断水、卫生与健康服务是否得以保证（详见表5.1）。如果水、卫生与健康服务要满足个人需求，就必须从美学和文化方面被人接受，使人们愿意持续使用，并做到具有可靠性和功能性，且能被包括老年人和残疾人在内的所有人使用。服务必须适合特定的人群及其需求，因此在选取和管理的过程中，必须有包括客户在内的利益相关者的广泛参与。

不同地区、城市和农村之间、社会经济团体之间等在获得水、卫生与健康服务方面都存在明显差距，而这一差距是有据可循的（WHO和UNICEF，2014a）。为了实现服务的普及，需要帮助困难群体加速发展，并确保水、卫生与健康服务的非歧视性。一些国家在减少不平等方面取得了显著进展，但在另一些国家，这一成绩却在很大程度上绕过了贫困和边缘化人口。埃塞俄比亚不仅在实现千年发展目标的过程中取得长足进展，即大幅增加了卫生服务的覆盖率，并在不同地区和群体中做到了公平覆盖（详见表5.3）。22年来，埃塞俄比亚的露天排便现象已从92％减少到37％（WHO和UNICEF，2014a）。

单凭覆盖率并不能完全体现不公状况，不公平还体现在水资源的安全性、可接触性和可靠性的程度上（WHO和UNICEF，2011）。甚至在一些国家，尽管大多数人已经用上了自来水，但是仍然会有少数一部分人被忽略。例如，根据对波斯尼亚和黑塞哥维那的数据分析，尽管94％的罗马人都可从高品质的饮用水源取水，但对于最贫穷的人口而言，该比例只有32％（WHO和UNICEF，2014a）。为确保可持续性，服务的种类应该与所处环境相匹配，并根据可使用的基础设施、人力资源和经济资源仔细选择。例如，如果要求每个人都使用上下水管道连接的卫生设施（即冲水马桶），将对建设可持续系统（需要有充足资金和适当的废水管理）造成巨大困难。同样，在边远农村，诸如水井这样的社区水源将比自来水系统更可以负担得起，并方便维护。在这种情况下，安全的家庭储水可有效避免污染，但却会成为潜在疾病的滋生地。

入户调查和全国人口普查也表明，在家庭内部也存在差异，例如不同性别之间。妇女和女孩往往负责取水，尤其是在撒哈拉以南非洲的农村地区，那里她们每天必须花上至少半个小时才能取到水（WHO和UNICEF，2012），甚至有些人要花费2～4个小时的漫长路程。（Pickering和Davis，2012）。在学校，与男孩相比，卫生设施的缺乏更有可能会阻碍女孩的受教育程度。妇女对当地供水管理的参与可提高成功管水的可能（UNEP，2004），这再次说明了可持续水资源管理中包容式与参与式方法的重要性。

表
5.3

2000—2012年埃塞俄比亚各自治区及民族卫生设施覆盖率 / %

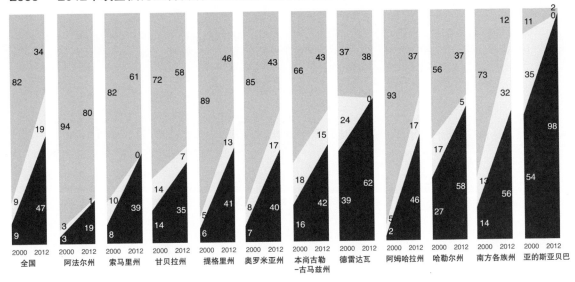

■ 已提高的公用设施　　　未提高的设施　　　露天排便

资料来源：WHO和UNICEF（2014a，p.15图19）。受出版者许可转载。

5.4　实现可持续水、卫生与健康服务

在为现在和未来几代人确保提供可持续水、卫生与健康服务，并确保这些服务满足环境限制，仍存在众多挑战。国家之间的挑战也相差很大，如对于一些国家而言，实现服务的基本覆盖是工作重点；但对另一些国家而言，重心则放在提高服务水平和实现环保目标等方面。由于服务的覆盖面在全球持续增加，工作重点将转向实现更优质服务的额外受益，以及实现环境的可持续发展。

通过全球广泛的相关利益者的群策群力，实现

可持续水、卫生与健康服务的关键目标可包括：普及基本的水、卫生和健康服务、根除露天排便、减少不平等、逐步提高服务水平，以及安全管理水和排泄物（WHO 和 UNICEF，2013）。为达到这些目标，有必要注重提供服务，而不仅仅依靠资本成本，要确保服务的经济可行性，加强融资的问责制和透明度，加强独立的监管机构，培养监测进展和评估服务不平等性的能力。建设新的基础设施是十分必要的；但对于提高卫生和健康服务还远远不够。至关重要的是重新专注改变社会规范。

6 城市化

联合国人类住区规划署 | Bhushan Tuladhar, Andre Dzikus and Robert Goodwin

6.1 水资源与快速城市化的世界

城市已然成为发展过程中挑战和机遇日渐对立之地。2014 年，39 亿（即全球 54%）人口在城市居住，至 2050 年，全球将有 2/3 的人口居住在城市（UNDESA，2014）。这一增长主要发生在发展中国家，而这些国家在面对快速城市化带来的变化时应对能力有限。

城市在多个方面影响着水文循环：提取大量的地表水和地下水；因不透水地面扩大导致的下渗减少加剧洪水风险；排放未经处理的废水从而污染水体。由于大部分的城市供水通常来自城区之外，且其产生的污染也趋向于向下游排放，因此城市对水资源的影响超出其地域界限。城市消耗着大量来自城市外的粮食、消费品及能源，而在其生产、运输和销售中需要大量的水。城市对这种虚拟水的需求量远远大于直接用水量（Hoekstra 和 Chapagain，2006）。

同时，作为创新中心，城市提供更可持续化用水的机会，包括将已用水处理到能供再次使用的标准。城市已做好及时采取保护措施的准备，同时，居住紧凑、人口密集，也能减少提供供水与卫生等服务的成本。此外，城市可与周边地区共同积极参与流域管理，向周边地区提供生态补偿资金（PES）来支持区域水资源保护。

6.2 挑战

6.2.1 获取供水与卫生

城市化的飞速发展、工业化进程的加快及生活水平的提升共同推高了城市总需水量。如图 6.1 所示，至 2050 年，全球需水量预计增长 55%，主要是因为制造业、火电与生活用水的需求量不断增长，而这大都是由发展中国家的快速城市化所引起的（OECD，2012a）。在许多城市化程度高的地区，由于地表水和地下水易获取，水源已被消耗殆尽。因此，城市为获取水而不得不走得更远或挖得更

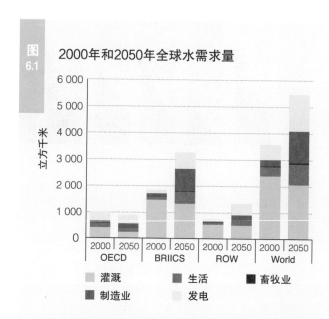

图 6.1 2000年和2050年全球水需求量

立方千米

注解：BRIICS（巴西、俄罗斯、印度、印度尼西亚、中国、南非）；OECD（经济合作与发展组织）；ROW（世界其他地区）。此图仅测量"蓝水"需求，并未考虑旱作农业。

资料来源：OECD（2012d，p.217，图5.4，Output from IMAGE）. OECD Environmental Outlook to 2050 © OECD

深，或者依靠创新的解决方案或更先进的技术（如海水淡化逆渗透法等），或者重复利用水以满足对水的需求（参见 WWAP，第 1 章，案例研究《关于亚洲城市地下水可持续管理》，2015）。

尽管 2010 年已达成千年发展目标中关于获取安全饮用水的目标——以使用改善的饮用水源的人口比例来衡量（参见专栏 1.1），但在城镇地区的进度却未能跟上城市化急剧发展的步伐（图 6.2）。1990—2012 年间，未能使用改善的饮用水源的城镇居民数量下降了一个百分点。然而，按绝对数值计算，未能使用改善的饮用水源的城镇居民数量从 1.11 亿上升至 1.49 亿（WHO 和 UNICEF，2014a）。这些数据说明在那些城市化迅猛发展并超过公共服务能力的地区，获取安全饮用水的情况实际上是在恶化（参见 6.3.1）。这种情况在城市化进程最快的撒哈拉以南非洲地区尤为糟糕。在该地区，作为城市地区倾向使用的自来水，其接入家庭

的人口比例实际上从 42％ 降到了 34％（WHO 和 UNICEF，2014a）。这一现实清楚地表明，获取安全饮用水在发展中国家的城市里仍然是面临的主要问题。

图 6.2

1990—2012年城市供水覆盖率趋势

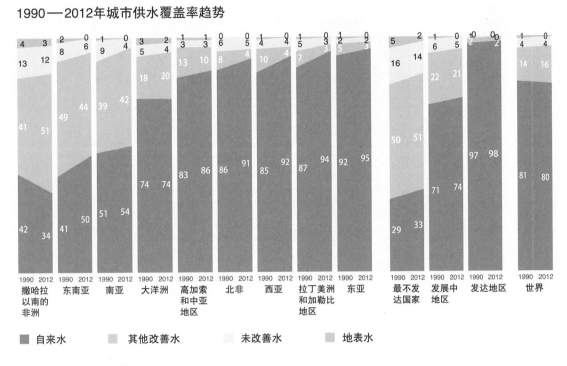

资料来源：WHO和UNICEF（2014a，图A4-1，第66页）。受出版者许可转载。

与饮用水的趋势相似，1990—2012 年间卫生条件未能得到改善的城镇居民数量从 5.41 亿增加到 7.54 亿，上升了 40％（WHO 和 UNICEF，2014a）。因此，尽管通常情况下城市地区的卫生设施覆盖率更高，但由于快速城市化，无法改善卫生条件的城镇居民人口，尤其是贫困人口，在不断增加。另外，由于城市地区人口密度更高，卫生设施匮乏所引起的不良健康后果可谓无处不在。以柬埔寨的城市地区为例，将其总人口按贫富程度划分，其中最贫困部分的 54％ 仍随地便溺，而最富有人群中 40％ 的人口已不存在这一情况（图 6.3）。

城市中越来越多的人难以获取安全饮用水和卫生设施。这一状况与发展中国家贫民人口的迅速增长，以及当地和国家政府没有能力或意愿在这些地区提供充足的水和卫生设施直接相关。尽管将民众从贫民窟搬离的工作已取得一些进展，但这根本不足以抵消非正式居住点的人口增长。至 2020 年，全球贫民窟人口预计将达到 8.89 亿（UN-Habitat，2010）。由于贫民窟更可能缺乏安全的水和卫生条件，也更容易受到极端气候事件的影响，所以城市水管理，尤其是贫民窟的水管理，将成为未来一大挑战。而在一些非正式居住点，当地社区及私人组织已为此提出了创新的解决方案。以蒙巴萨为例，在这个仅有 15％ 人口能获取自来水供应的地方，水亭取水的方式使得超过 80％ 的人获得了改善的水源（图 6.4）。

6.2.2　污染与废水管理

发展中国家的许多城市缺乏收集及处理废水的必要设施。由于缺乏适当的排水系统，污水与雨水混合从而造成进一步的污染。据估计，发展中国家有高达 90％ 的废水未经处理直接排入河道、湖泊或海洋，导致了主要的环境和健康风险（Corcoran 等，2010），随之引起医疗费用增加和劳动生产率下降，进而对社会经济造成巨大影响。

废水对全球环境也有所影响，与废水相关的沼气（一种显著影响全球变暖的气体）和一氧化二氮，其排放量从 1990 年到 2020 年将分别上升 50％ 和 25％（Corcoran 等，2010）。

显然，需要扩建废水处理系统并提高现有废水处理厂的效率。虽然如智利等一些发展中国家已可成功处理几乎全部的废水（Bartone，2011），但大

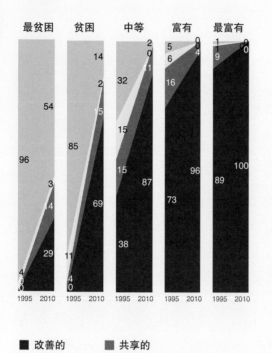

图 6.3

柬埔寨城市地区不同阶层获取卫生设施的情况

| 最贫困 | 贫困 | 中等 | 富有 | 最富有 |

- 改善的
- 未改善的
- 共享的
- 随地便溺

资料来源：摘自WHO和UNICEF（2014a，图29，第24页）。受出版者许可转载。

用更为创新的手段，例如分散式污水处理方案、废水处理沼气回收以及减少废水管理成本（Lüthi 等，2011）。

6.2.3 机构能力和治水

考虑到城市化步伐的加快，地方和国家政府及水公共事业部门亟须增加投资并提高相关机构管理服务的能力，特别是在那些供水和卫生设施陈旧且维护不当的城市和发展中国家的城市。水流失率高（主要由于渗漏）、收支难以平衡、管理体系薄弱是许多城市地区能力缺口日益扩大的典型表现。渗漏导致效益受损、饮用水污染和水传播疾病暴发的概率增加，这将进一步削弱用水服务的质量及用户的付费意愿。

6.2.4 气候变化和涉水灾害

由于气候变化的影响错综复杂并难以预料（参见第 10 章），水的可用性和用水需求极有可能会受到影响。水和卫生基础设施很可能由于极端事件和海平面上升而面临风险。随着城市化进程，自然的排水通道被侵占及土地利用方式的改变导致了径流量增加，因此亟须更可持续的城市排水系统来解决洪水和水污染问题。城市贫民倾向于密集聚居在脆弱地区，例如河岸边，更容易受到气候变化的影响。因此，应对气候变化的影响需要城市加强涉水规划及管理能力，使水资源综合管理和城市总体发展互相关联。

多数发展中国家的经验表明：废水管理成本昂贵，大多数城市并不拥有或能为此提供所必需的资源。此外，废水收集的成本也常常被低估。很有必要采

 图 6.4

在蒙巴萨非正式定居点的水获取情况

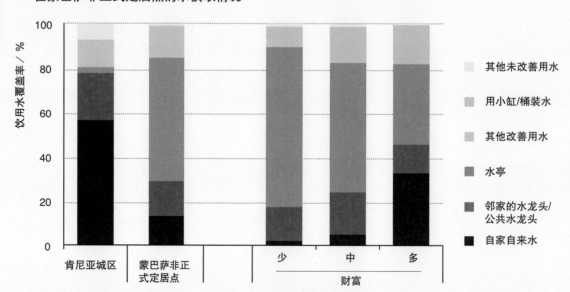

- 其他未改善用水
- 用小缸/桶装水
- 其他改善用水
- 水亭
- 邻家的水龙头/公共水龙头
- 自家自来水

资料来源：摘自WHO和UNICEF（2014a，图24，第20页）。受出版者许可转载。

6.3　对策

作为 2015 年后可持续发展议程中的内容（参见第 16 章），联合国水计划（2014）提出了专门针对水的总目标及其五个子目标，与城市中水资源可持续利用密切相关。这些目标为应对城市水资源管理的挑战搭建了适宜的框架。

6.3.1　安全供水与卫生的扶贫政策

在发展中国家，城市化进程比公共服务事业的发展更快，城市地区未能获取安全水和卫生设施的总人数持续攀升。这些以全面实现安全水、卫生和清洁为目标的提议将促使人们行动起来解决这一重大问题。此外，目标中还包括在实现过程中逐步消除不平等，这将促使决策者解决城市贫民的需求。这样，政府和公共服务部门可以借鉴一些成功、创新的关注城市贫民需求和为公共服务创造有利环境的举措（专栏 6.1）。

专栏 6.1

坎帕拉扶贫政策

2004 年乌干达政府设定了至 2015 年城市地区实现 100％供水和卫生服务覆盖率的目标。作为回应，负责坎帕拉水和卫生服务的国家供排水公司（NWSC）采取了一系列措施，例如价格实惠的管网、对贫民倾斜的收费和针对贫困人口的特殊项目。NWSC 在 2007 年建立了面向城市贫民的分公司，提供各种的服务选项，包括家庭接水、预付费型公共水点/亭、共享庭院水龙头。其结果是，国家供排水公司在增加效益的同时，大大拓宽了面向城市贫民的服务。同时，这一面向城市贫民的分公司做到了使水点及庭院水龙头的闲置比例从 2007 年的 40％减少至 2009 年的不到 10％。

资料来源：kariuki 等（2014）。

> **发展中国家的许多城市没有收集和处理废水所必需的基础设施。**

6.3.2　城市水资源综合管理

关于水资源可持续利用和发展的目标设定可以借鉴多个国家的城市水资源综合管理（IUWM）系统的经验。城市水资源综合管理要求城市发展和流域管理相结合，统筹供水、卫生、雨水和废水管理，使之与土地利用规划和经济发展成为一体。实施城市水资源综合管理需要适宜的机构、政策、严谨的规划、能力建设以及对上游集水区保护、雨水收集和补给、需水管理和中水回用等系统的投资（专栏 6.2）。

专栏 6.2

哥斯达黎加自来水公司开展的森林保护活动

自 2000 年起，哥斯达黎加埃雷迪亚省当地的一家供水公司（埃雷迪亚公共服务公司）考虑到地表水和地下水水源的补给，投资保护位于维利亚河流域的战略性森林区域。执行防止改变土地利用方式的条例，确保了全省的主要水源受到保护。公司每月向用户额外收取 3％的水费，用于补偿土地所有者因控制土地利用方式改变而损失的经济利益。过去十年，该项目已保护了流域内超过 1 100 公顷森林。由此，在使水处理基础设施投资需求最少的同时，该省能够为其 20 万居民提供清洁水。

资料来源：Barrantes 和 Gámez（2007）。

巴西最大的贫民窟：Rocinha

照片来源：Ahln

6.3.3 城市水治理

强有力的政治承诺、适当的政策与法律框架、有效的制度结构、高效的管理体系及能力相当的人力资源，加之用于水利基础设施更新、运行及维护的投资才能实现公平的、参与式和负责任的水治理。一项研究估计，1美元水和排水设施的投资能使私有产值（国民生产总值）在较长时期内增加6.35美元，在其他产业增加2.62美元的产值。这些有利于增加就业岗位、提高最终产值及扩大私营部门投资（Krop等，2008）。世界各地城市的经验表明，有了强有力的领导和良好的管理，在持续扩大供水系统和满足贫民需求的情况下，是有可能改善城市供水系统性能并增加收入和利润的（专栏6.3）。

6.3.4 可持续卫生事业

实现水资源和水污染的有效管理需要对技术可行、经济合理、社会认可、环境友好的可持续卫生系统进行投资。这些可能包括推广水资源重复利用，进行污水处理以达到重复利用的相应水平，以及将卫生系统与水资源和城市规划设计进行全面统筹（Lüthi等，2011）。由于运输占废水管理成本的绝大部分，因此，靠近水源地、利用简单技术最大程度地循环利用水和营养物质的分散式废水处理系统就显得更为有效，尤其是在贫困和城市周边的居住点（专栏6.4）。废水系统也能产生能量；处理过的废水可回用，有助于水、能源和粮食安全，从而促进卫生事业和经济发展。在阿克拉，用已处理废水灌溉的城市菜园为城市提供了多达90%的蔬菜（Tettey-Lowor，2009）。

排泄物就地处理仍然是多数亚非国家城市地区的普遍做法，这是个挑战，同时也是机遇。如果排泄物处理不当，将造成严重的健康风险和污染，但也要避免大规模建设污水管道系统，这样即节约投资，又有机会探索更多具有创新性的耗水耗能较小的分散性方案。

金边供水：良好治理的范例

金边供水局（PPWSA）从一个濒临破产、萎靡颓废、腐败滋生的机构转变成为世界最好的水公共事业部门之一，其他城市可从中得到宝贵的经验。在 Ek Sonn Chan 的动态领导下，金边供水局得以在十年内完成转变：在净利润持续增加的同时给所有居民提供持续、优质、价格亲民的水。依据其扶贫政策，该局增加了贫困家庭的用水途径，从 1999 年的 101 家增加到 2008 年的 17 657 家。金边将水流失量从 1998 年的超过 60％减少至 2008 年的 6％，这一比例堪比新加坡。这一实例表明，在发展中国家，若有优秀的领导和良好的管理，国家公共单位照样可以干出成效。

资料来源：Biswas 和 Tortajada（2010）。

印度尼西亚分散式废水处理系统

印度尼西亚政府正在推广社区管理型的分散式废水处理系统（DEWATS），旨在至 2014 年底实现覆盖 5％城市总人口的目标。通过复查发现，在 2003—2007 年间安装在印度尼西亚不同城市的约 400 个分散式废水处理系统中，超过 80％的处理系统运行良好，且废水排放符合标准。研究发现，这些设施长期持续使用，需要进行外部的监测和支持，而社区容易失去热情，不愿对大修进行投资。得到的结论是"在类型合适、地点恰当、用户数量优化和持续、与政府共同承担运行和维护的责任的情况下，社区管理型分散式废水处理系统可以有效地为贫困社区服务"（水与卫生计划，2013）。

资料来源：WSP（2013）。

6.3.5 应对气候变化和涉水灾害

据世界银行估计，2010—2050 年，全球每年用于应对气候变化和水灾害的费用为 700 亿～1 000 亿美元（World Bank，2010a）。投资主要用于供水、防洪、基础设施和海岸带建设，以及约需总投资 80％资金的城市改造（World Bank，2010b）。正因亟须投资的是基础设施和体系尚待建设的发展中国家，因而在未来，城市有可能实现明智地应对气候，从而减少气候风险，使环境和经济效益最大化。

例如，针对整个亚洲风暴、洪水及干旱预警系统开展的成本收益评估显示，每 1 美元的投资，其潜在效益能高达 559 美元（Subbiah 等，2008）。

新加坡等城市已经采取相应措施来增加城市供水和卫生系统的弹性。为避免海水入侵水库，大多数水库大坝远高于海平面上升的预测水位，并且闸门还可在必要时进一步升高。通过水源多样化，包括雨水收集、再生水和海水淡化，在旷日持久的干旱时期城市已不再那么脆弱（Chiplunkar 等，2012）。

7 粮食与农业

联合国粮农组织｜Jippe Hoogeveen 编写

到 2050 年，全球农业必须增产 60％的粮食，发展中国家要增产 100％（Alexandratos 和 Bruinsma，2012）。然而，农业淡水需求的增长率呈现不可持续的态势。粮食生产用水效率低下，导致含水层枯竭、径流减少、野生动物栖息地被破坏，并引起全球 20％的耕地呈现盐渍化（FAO，2011a）。捕鱼业大量集中在沿海水域，鱼产量和质量都因污染受到影响，其中部分污染是由农业引起的。尽管修建水库为养殖渔业提供了机会，捕鱼业和养殖渔业因与水电开发及工业用水竞争而面临威胁。

为达到"以经济、社会及环境可持续的方式，通过粮食和农业提升全人类尤其是穷苦大众的生活水平，在世界上消除饥饿及营养不良"这个目标（FAO，2013a），联合国粮食与农业组织提出以下五个原则（FAO，2014a）：

（1）提高资源利用效率是可持续农业的关键。

（2）可持续发展要求对自然资源加以涵养、保护以及强化等直接行动。

（3）不能保护和提高农村生活及社会福利的农业是不可持续的。

（4）提升群众、社区及生态系统的恢复能力是可持续农业的关键。

（5）可持续发展的粮食种植业及农业需要负责、高效的政府机构。

以上原则紧密相关、互相补充，应同时予以考虑（图 7.1）。这些原则支撑着可持续发展的三个方面。第一个和第二个原则直接关系环境，第三个原则涉及社会经济发展。第四个和第五个原则为可持续发展的三个维度奠定基础。实践以上五个原则，要采取一系列的行动提高农业产量及其可持续性。

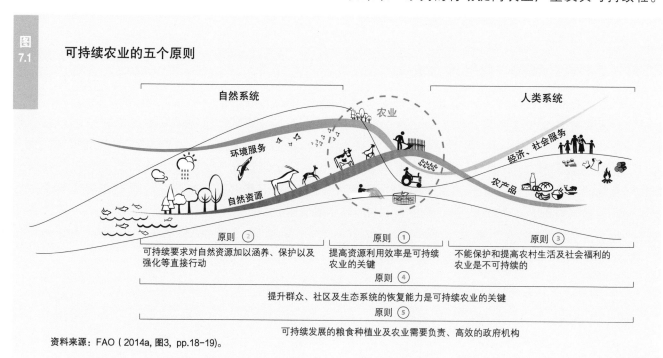

图 7.1

可持续农业的五个原则

自然系统　　　　　　　　　　　　　　　　人类系统

农业

环境服务　　　　　　　　　　　　　　经济、社会服务

自然资源　　　　　　　　　　　　　农产品

原则 ②　　　　　　　　　原则 ①　　　　　　　　　原则 ③

可持续要求对自然资源加以涵养、保护以及强化等直接行动

提高资源利用效率是可持续农业的关键

不能保护和提高农村生活及社会福利的农业是不可持续的

原则 ④

提升群众、社区及生态系统的恢复能力是可持续农业的关键

原则 ⑤

可持续发展的粮食种植业及农业需要负责、高效的政府机构

资料来源：FAO（2014a，图3，pp.18-19）。

7.1 提高资源利用效率

广义而言，提高农业用水效率有两个途径：减少用水损耗和提高水生产率。

第一个方法通过减少生产过程中的用水损耗达到提高用水效率的效果。从技术上说，"用水效率"是个不限维度的比率，可以在任何数量级进行计算，不管是灌溉系统还是农田的一个用水点均可应用。此方法常用于减少无效用水的管理方式（例如，在输水和用水的过程中减少渗漏和蒸发损失）。第二个方法着重提高农作物生产率，即利用一定水量生长出更多或价值更高的农作物。

显然，通过时间和空间对需水量进行管理都是可行的。然而实践却过多强调致力于在灌溉分水系统中减少水量的"损失"。减少水量损失的作用有限，原因有二：第一，只有部分"损失"的水（可定义为水离开了生活、灌溉、加工及冷却等清晰且有实际利益的目标），以合理的成本可以复原并进行有益的利用。第二，在将水从源头输送至最终用户的过程中，部分可通过渗透到含水层、回流到河流系统等形式回到水文系统内。无益消耗的水，例如蒸发、流入污染水体或入海，占整体的比例因当地情况有而所差异。清晰认识减少水量损失的真正潜力，可有效避免设计昂贵而低效的需水管理策略（2030 WRG, 2013）。

管理农业需水量最重要的途径是提高农业生产率。

在大多数情况下，管理农业需水量最重要的途径是提高农业生产率。通过改良水量控制、改善土地管理、提高农艺技术等组合措施，可切实提高农作物产量。农艺措施包括选用有机肥料、改善土壤肥力管理及保护植株等。关键是应注意到植物育种和生物技术的有益作用，例如增加农产品产量，通过病虫防治以降低作物产量损失，通过早期旺盛生长以快速覆盖地面而减少土壤水分蒸发，提高对干旱的耐受性等。因此，应重点考虑以水分生产率为核心的整体需求管理，而不是单单集中在用水的技术效率上（参见专栏7.1）。

专栏 7.1

利用减少灌溉获得高产及最大净盈利

利用高产品种、最佳水分供给、肥料及作物保护，可以获得最大的作物产量。然而，农作物在水分供给次优状态下也可以实现高产。利用减少灌溉，水分供应低于农作物的完全需求量，在对水分不敏感的生长阶段允许轻度水分亏缺。其目标产量保持稳定，并把节省的水用于其他作物或其他有益活动，获得额外收益。

在华北平原开展了6年的冬小麦生长研究显示，通过在不同生长阶段中利用减少灌溉，节水可达25％以上。在正常年份，对农作物进行2次（而不是4次）60毫米的灌溉，足以获得可接受的高产量及盈利最大化。在巴基斯坦的旁遮普省，一项关于对小麦和棉花进行减少灌溉的长期影响的研究表明，在仅满足60％的总蒸发量的情况下，产量只减少15％。研究指出，应保持使用浸滤处理以防范土壤盐渍化的远期风险。

在印度开展的花生灌溉种植研究表明，在营养期（播种后20～45天）采取短期减少灌溉，农作物产量及水分生产率均有所提高。在作物营养期减少灌溉用水量有助于根系生长并充分吸收深层泥土的水分。与草本植物相比，果树的节水程度更高。在澳大利亚，对果树进行规范化的减量灌溉后，水分生产率提高了约60％，果实质量提高，产量不减。

然而，应注意的是，只有当灌溉系统能提供可靠且灵活的供水措施时，减少灌溉才能获得良好效果。

资料来源：FAO（2011b）。

7.2 对自然资源的节约、保护和强化

保护及恢复自然生态系统（例如对水质、水量发挥重要生态作用的湿地、森林、河流湖泊等）具有重要意义（参见第4章）。然而，在优先保护水系统生态功能的同时，环境流量的实施方案需要深思熟虑。由于农业景观也发挥着一定的环境功能，环境用水需求与农业用水需求的界线往往并不清晰（参见WWAP, 2015，第7章"越南湄公河三角洲可持续发展目标进展"案例分析）。

农业密集程度不断提高，点源污染和面源污染问题愈趋严重。应用科学技术可控制农业用水污染，害虫防治及农作物养分管理等综合措施尤为有效。高

越南农民在种植水稻

照片来源：UN Photo/Kibae Park

收入国家的经验表明，利用组合式的激励政策，包括严格的监管和执法、定位精准的补贴等，可有助于污染防控（FAO，2012b）。此外，PES方法（参见4.3.1节）通常配合以上激励政策使用，可显著减少农业污染，节约农地下游污水处理的成本（专栏7.2）。

7.3 农村生活及社会福祉

农业发展的目标是造福赖以生存的人民，使其更易获得资源和资产、参与市场、获得工作机会。如果不能达到这些目的，就是不可持续的。由于世界上75％的贫困人口生活在农村，发展覆盖面广的农业、更广泛分享发展红利是减少贫困和保证粮食安全的最有效的途径（World Bank，2007a）。构成世界饥饿人口多数但仅拥有极低比例资源的妇女的状况应引起特别关注。在所有仅可维持生计的农民中，妇女占大多数，如果拥有平等的资源和掌握相同的知识，她们可以生产出足以使1.5亿世界人口摆脱饥饿的粮食。(FAO，2011c)。

在所有仅可维持生计的农民中，妇女占大多数，如果拥有平等的资源和掌握相同的知识，她们可以生产出足以使1.5亿世界人口摆脱饥饿的粮食。

专栏 7.2

里约农村计划：流域管理项目中的环境服务费

在巴西里约热内卢北部，以往的农业政策侧重支持咖啡和甘蔗等单一作物种植，森林采伐及不可持续的生产模式导致土地退化、水源枯竭。

自2006年起，里约农村计划致力于扭转此状况，对小型家庭式农户提供长期支持，使其向生态友好的生产模式转变。由于大多数可持续技术应用成本较高，且对改善农民收入帮助不大，采取经济上的激励措施对技术普及尤为重要。

在GEF（2006—2011）、世界银行（2010—2018）、联邦和州政府及私营企业的资助下，里约农村计划将为18万公顷农田投资2亿美元，惠及78 000名农民。其中47 000人将得到直接资金和技术支持，以提高生产率。作为回报，农民同意保护剩余的森林资源。

里约农村计划中，农业生态系统实现长期可持续的策略，是确保环境保护下的耕作技术升级，即农民在提高生产率的同时也改善了环境质量。在项目的资助下，采取轮流放牧的农民也同意腾出部分土地退耕还林，以保护泉水及河岸带。

直接关系到水资源保护的项目由各级（地方、州和联邦）供水机构提供部分资助。该项目提供技术援助、资金支持以增加农民收入，流域管理机构从水费中划拨专项资金用于环保活动。

资料来源：Rio Rural project team, Sustainable Development Department（SEAPEC），Rio de Janeiro State Secretariat of Agriculture（http://www.microbacias.rj.gov.br/index.jsp）。

缺水是农业生产和农村减贫的主要瓶颈。农村人口脆弱性原因如下：降水情况复杂多变；水利设施、市场与管理落后；土地与水资源治理效率低；生活生产用水匮乏等。对于数百万的小型农户、渔民和牧民而言，水是最宝贵的生产资料。保障供水以及对水的有效控制管理是提升人民生活水平的关键，尤其是在非洲地区（参见第15章）。有的放矢的干预手段可快速改善农村贫困人口生活（专栏 7.3）。然而，单靠投资水利设施并不足以提高农业生产率。农民需要获取肥料、种子和水，而渔民也需要用水，所有用户都需要信贷服务。此外，他们还需要受到更好的教育并获取更多的信息，以便充分利用资源、了解最新的技术。

专栏 7.3

凯塔项目：在尼日尔西部开展水资源涵养项目

凯塔项目由意大利世界粮食计划署资助，资金规模超过 8 000 万美元，于 1984 年在干旱的尼日尔 Ader-Doutchi-Majiya 地区开展。该项目规模及持续时间均有别以往，到 1991 年，项目覆盖了 13 000 平方公里，惠及 400 个村落共计约 30 万人口。该项目提供了大规模的服务和基础设施。到 1999 年年底，项目建成了 50 个人工湖、42 座水坝和 20 个护沙堤以及 65 个村庄水井。项目对约 10 000 公顷的土地采用了水保措施，种植了 1 600 万株再造林树苗。此外，项目还包括多种基础设施建设，如学校、妇产中心、兽医院、商场和仓库等，同时也提供了妇女权利计划、小型信贷及成人扫盲课程等。

最受当地居民欢迎的是，该项目使他们更易于获得水和饲料，以及在鲜有工作机会的地区广泛开展"以工作换食品"项目（Rossi，2006）。该项目完成已有 10 年，大部分水利设施还在良好运转，并仍服务于当地居民。

资料来源：FAO（2002，2008，Box 6，p. 51）和 Italian Development Cooperation（2009）。

在东南亚地区，受快速但不均衡的经济增长影响，农业面临着两大复杂形势：一是农业与其他行业的收入差距不断拉大，二是必须遏制以往对地区有限自然资源不可持续的利用和消耗。执政者面临的最大挑战是如何既要缩小不断增大的城乡收入差距，又要通过"绿色"措施保护生态系统。对于多数农民和渔民而言，要在农业系统以外探寻解决之道。

粮食价格快速上涨为贫苦大众带来严重的冲击。

人们通常认为，目前的灌溉农业使环境不可持续，整体生产水平并不能让最贫困的农民得到足够收入、过上体面的生活，更谈不上他们的未来。大规模灌溉系统现代化应包括农场的升级改造，使其高度可靠、灵活而且以服务为导向。这也有助于团结用水户，使他们的生产计划与长期的城市、能源及交通基础建设规划相适应。

7.4 提高适应能力

在可持续粮食及农业的语境下，适应能力是指从事耕作、捕鱼、畜牧的群体、家庭或个人，通过防范、减少或应对风险，适应改变并从冲击中恢复过来，维持或巩固系统生产力的能力。极端天气事件、市场波动、内乱及政局不稳等因素都危害着农业生产力及其稳定性，反过来也会给生产者增加不确定性和风险。粮食价格快速上涨为贫苦大众带来严重的冲击。提升用水户面对冲击及极端事件的适应能力是有效应对此类事件的关键（专栏 7.4）。全球农业市场在吸收供应冲击和稳定农产品价格方面的缓冲能力与土地和水系统的持续运作联系在一起。同时，气候变化带来的全球变暖、干旱降雨模式改变、极端现象频发且持续期长等情况，为农民、渔民和牧民的收成带来额外的风险和不可预测性。

通过土地和水管理加强小型农户适应能力

FAO 在 2011—2014 年开展了名为"加强水土管理适应气候变化的能力"试点项目，该项目由瑞典国际发展署（Sida）资助，目的是确定应用于降低东亚地区粮食及畜牧业生产风险的合适技术。

在撒哈拉以南的非洲，应对气候变化的"不后悔措施"（即提高群众应对气候变化以及其他类型冲击的适应能力）很有可能在短期及长期获得成功。在埃塞俄比亚舒阿罗比区的乌尔巴流域，项目采取了一系列的措施以保持山地地表径流并改善土壤蓄水能力。这些措施补充了地下水，保护了表层土壤。措施具体包括开挖梯田水沟，修建拦水堤、截水沟和小池塘等。

此外，项目利用集水设施以缓解干旱带来的影响，并扩大居民收入来源。这些措施包括根据地理脉络走向，在宅基地和农地里开挖池塘，蓄水可用于人畜饮水和园艺。由于当地旱季水源稀缺，项目还在屋顶安装了集雨装置。一系列的措施减少了取水的时间和人力，同时，通过培养高价值园艺产品提高了居民收入。

资料来源：**FAO（2014b）**。

7.5 有效治理

加强有效治理的主要原则包括：参与、负责、透明、平等公平、效率效果以及法治（FAO，2013b）。遵循以上关键原则，有助于保障社会公平正义和对自然资源的长期保护。可持续模式包含大量抽象的环境考虑，如果在社会经济方面缺乏考虑，这些模式不可能得以实施。向可持续农业转型，要求利用政策、法律与机制，平衡公私两方的利益，并保证负责、平等、透明及适当的立法（参

见专栏 7.5）。

农业与粮食安全与水资源密切相关，因此，该领域的相关政策必须保持稳定。在发生灾难、市场波动的时期，保证国家的粮食安全（或者说保证该国人民得到粮食）变成了决策者的首要考虑。水管部门应争取将水作为各领域的"组成部分"，积极融入其他经济领域，促使其将缺水问题作为其中一个关键问题予以考虑（WWAP，2009）。这种跨部门对话机制是推动水资源综合管理实施的关键。

印度安德拉邦的地下水治理

荷兰资助的"安德拉邦农民治理地下水系统项目"由 FAO 在印度南部开展。该项目范围覆盖了安德拉邦 7 个干旱地区约 638 个村落。在项目地区，天然地下水回灌率大约为 70～100 毫米/年。

在 20 世纪 90 年代末，地下水抽取率增加到相当于 120～150 毫米/年，越来越多的水井已干涸或变成季节性水井。面对这一情况，钻井数量迅速增长，深度也不断增加（与农村统一电价有关）。地下水采用量不断加大，使很多含水层较浅的地区面临严重缺水危机。

为扭转这一局面，项目开展了参与性的水文监测，为农民提供必要的知识、信息和技能，使他们更了解地下水的水文特性。由于各地水文地质学有显著差异，印度中央地下水委员会利用标准算法，对每个含水层进行了单独计算。

每个含水层或水域的地下水管理委员会测算出可利用的地下水资源，制定相应的农作物结构。委员会向全体农民发布信息，并形成压力去鼓励农民使用恰当的节水和集水设施，推广低投入有机农业，协助制订规则以保证地下水资源的年际可持续性。

大部分试点地区的成效显著，通过多样化种植和节水灌溉，地下水使用显著下降，并且在用水减少的情况下改善了盈利能力。

资料来源：**Govardhan Das 和 Burke（2013）**。

政策、立法及财政措施对地区及基层组织有重要影响，最重要的是为利益相关方进行决策设定了界限，厘清了角色和责任（Moriarty 等，2007）。政策、立法及财政措施影响到水资源管理、提供服务及需求水平，三者组合得当是非常重要的。在水领域以外的决策，例如能源价格、贸易协定、农业补贴和减贫政策等，经常对水资源供给产生较大影响，因此也与水资源匮乏问题紧密相关。

8.1 缺水的能源

可持续发展的一个核心组成部分是保证满足人类的基本需求，包括烹饪、保暖以及获取安全可靠的能源。而能源与水息息相关。几乎所有形式能源的部分生产过程都需要一定量的水。火力发电和水力发电一般需要大量的水，二者分别占全球电力生产的 80% 和 15%。相反，在水的收集、处理和输送过程中，能源也是必不可少的。据估计，水与废水设施总运行成本的 5%～30% 为电力费用（World Bank，2012），但在一些国家，如印度和孟加拉国，此比例高达 40%（Van den Berg 和 Danilenko，2011）。

从家庭层面而言，水和能源也在提供着补充服务，例如（出于家庭或农业用途）从井中抽水，为烹饪、清洁和卫生提供热水，这些过程都需要足够的能源。

8.1.1 获取水和能源的服务

满足可持续发展目标的一个必要条件是获取水和能源的服务。多数无法获得改善的水和卫生设施的人同时也难以获得电力，只能依靠固体燃料进行烹饪（WWAP，2014）。世界上大约有 7.48 亿人无法获得改善的饮用水水源（WHO 和 UNCEF，2014a），而多达 30 亿人难以实现其对于水的需求（Onda 等，2012）；25 亿人仍无法使用改善的卫生设施。超过 13 亿人缺乏电力供应，约 26 亿人使用固体燃料（主要是生物质能）进行烹饪（IEA，2012）。另外约 40 亿人使用煤炭进行烹饪和加热，其中木头、木炭、泥炭或其他生物物质在传统炉灶中燃烧时会造成空气污染，并对健康有潜在的严重影响。通过水进行传播的疾病，如由于缺乏安全饮用水和卫生设施而引起的腹泻，和室内空气污染造成的呼吸道疾病之间的密切关联证明，难以获取水和电力服务的正是同一群体。水和电力的共同缺失也是导致过早死亡和残疾调整寿命年（DALY）的最重要因素❶。

因此，任何与健康、贫困、教育和总体公平相关的可持续发展目标的完成，都取决于为公众（包括占比较低的妇女和儿童）提供安全的水和能源服务。

8.1.2 全球能源需求

到 2035 年，全球对于能源的需求预计将增加 1/3，而同期对于电力的需求预计将增长 70%（IEA，2013）。主要能源方面，摒弃化石燃料的过程可能需要相当长的时间。对于所有形式的能源需求预计都会有所增长：石油增长 13%，煤炭增长 17%（主要在 2020 年前），天然气增长 48%，核能和可再生能源分别增长 66% 和 77%。全球发电将继续以火力发电为主，原料为煤炭、天然气和核能，其中煤炭仍为最大来源。包括水力发电（此为最大来源）在内的可再生能源的份额预计将增加一倍，到 2035 年在电力生产中达到 30%（IEA，2013）。

由于 90% 的火力发电需要大量的水，因此预计到 2035 年增加的 70% 电力将带来淡水回收约 20% 的增长。发电厂效率的提高、先进的冷却系统（此系统将降低取水量，但增加用水量）和生物燃料生产的增加，导致用水量将增加 85%（IEA，2012）。

除了蒸发损失，水力发电通常用水量不大，但需要水库中有大量存水，而这些水不能保证能否用于其他用途。火力发电所需水量取决于冷却系统的不同。开环冷却需要更大的取水量，但用水量不算大，而闭环系统的运行过程中需要的水量不大，但几乎所有的水都会被消耗。

---

❶ DALY 被认为是"健康生命"损失的年份。人口总和或因疾病负担带来的 DALY 被视为整体人口免于疾病或伤残的前提下能达到的理想健康状态与实际健康状态之间的差距。

在对于水的影响方面，风力和太阳能光伏发电显然是最可持续的发电方式。然而，在大多数情况下，由风能和太阳能光伏发电提供的间歇性服务需要由其他来源的电力来补偿，而这些来源通常需要大量的水以保持负载平衡。

虽然可再生能源在常规能源中的比重正在增加，但与化石燃料相比，可再生能源的开发和补贴仍有不足（WWAP，2014）。风能和太阳能光伏只占全球电力结构的3%。虽然预计它们将在未来几十年里迅速成长，但到2035年，二者占全球发电的比例估计不会超过10%很多（IEA，2012）。直接用于发热（供热等）和发电的地热能源发展不足，潜力也被大大低估。地热能源不受气候影响，排放温室气体量和消耗的水资源极小（取决于系统配置），几乎接近于零，在人类存在的期限内取之不尽（WWAP，2014；Williams 和 Simmons，2013）。

8.2 挑战：满足日益增长的需求

满足日益增长的能源需求将增加对淡水资源的压力，并对其他方面造成影响，如农业和工业。由于这些方面也需要能量，所以有足够的空间来形成协同，促进其共同发展。

> **在对于水的影响方面，风力和太阳能光伏发电是最可持续的发电方式。**

农业生产需要占用全球70%的用水、食品生产和供应链占全球总能耗的约30%（WWAP，2014）。工业部门占全球能耗的37%，从比例上看用水量显著较小（UNIDO，2008）。如果能增加这

新西兰 Wairakai 的地热厂

照片来源：Geothermal Resources Council

几个行业的水和能源使用效率，将会大量节约能源并产生积极反响，特别是在资源最匮乏的地区。然而，最大的挑战在于降低用于燃料和发电的用水强度。

火力发电为发电的主导形式，占全球电力生产的80％。实现可持续水未来的一个关键决定因素是最大限度地提高发电厂的用水效率。这需要对低效燃煤电厂的建设和利用进行限制，并广泛采用干燥冷却或高效的闭环冷却技术。虽然使用海水或污水这样的替代水源比较具有挑战性，但这也提供了减少淡水需求的巨大潜力（WWAP，2014）。

气候变化增加了风险和压力。在过去的十年中，干旱、热浪和局部缺水程度的增加，已造成发电中断和严重的经济后果。同时，能源供应的制约对用水服务造成约束。

> 虽然可再生能源在常规能源中的比重正在增加，但与矿物燃料相比，可再生能源的开发和补贴仍有不足。

目前水电建设的发展空间很大，特别是在撒哈拉以南非洲和东南亚，那里的现代能源服务最少，未开发的技术潜力最大。除了发电，水电站水库也可在干旱季节供水，并为洪水管理、灌溉蓄水、航运和休闲娱乐提供支持。在一年的不同时期，出于不同目的进行排水时可能出现一些问题。大型水电厂在世界各地受到批评的原因有很多，包括对环境和生物多样性的破坏、文化和历史遗迹的损失和社会混乱（Glassman等，2011）。

虽然风能和太阳能光伏发电的竞争力越来越强，但由于价格昂贵，因此在大多数国家仍需要政策支持以促进其发展。长期以来，水电和地热能源有较强的经济竞争力。除了取代用水量大的火力发电之外，可再生能源提供了一系列额外好处，包括提高能源安全和多样性、减少温室气体排放和空气污染、促进绿色增长、建设小型并网或离网（IEA，2013）。在可再生能源发展对全球能源结构产生显著影响之前，需要大幅增加对其在水需求方面的支持，而其对水的需求远低于矿物燃料的需求。可再生能源，例如风能、太阳能和地热能源，可以在地区和国家范围内极大地缓解能源供应紧张和淡水需求，即使他们在全球范围内处于边缘化。

生物燃料可以作为矿物燃料的替代能源，其与水相关的影响主要取决于这些生物的生长是靠降雨或灌溉。来自灌溉作物的生物燃料对水的需求量远远大于矿物燃料资源，因此对当地水资源意义重大，而旱作生产基本不改变水循环。包括小农在内的生物能源生产可以帮助创造工作机会、改善生计并减少农村地区的贫困问题。在乐观地看待生物燃料的同时，人们也对其经济活力和社会经济发展、粮食安全和环境可持续性造成的影响不免担忧（WWAP，2014）。由于生物燃料受一系列因素影响的敏感度较高，如油价和天然气价格、政府补贴和合作任务（这仍是生物燃料的主要用途），它的发展前景仍不明确（IEA，2013）。

在水和环境可持续发展背景下，取水和耗水并不是唯一值得关注的方面。使用开环冷却系统的热电厂向天然河道中排放大量热水，对鱼类和其他野生生物造成影响。生物燃料的生产，如农业，会导致营养负荷，影响地表水和地下水的质量。煤炭开采需要大量的水，其排放可能对地表水体和地下蓄水层造成污染。随着石油和天然气的开采，也产生大量的水。这种"生产出的水"通常盐度很高，难以处理，往往被再次注入地下。

来自非常规来源的天然气（"液压破碎法"）和石油（含油砂/含焦油砂）的发展，会造成潜在人类健康的不确定性及对环境构成长期威胁，二者需要超出正常比例的大量的水，并对水的质量带来重大风险。

意大利托斯卡纳区拉尔代雷洛的地热冷却塔
照片来源：Simon

8.3 对策：从水的角度解决能源问题

从技术层面而言，能源行业正迅速发展。非常规石油和天然气供应得以运用，液化天然气的供应灵活性正在提高，更多的可再生能源供应也在融入到电力部门，整体能源效率正在提高（IEA，2013）。这种发展的动力主要是来自经济方面（市场供应/需求）、政治方面（能源安全）和社会方面（普及安全能源服务）。

为了减少温室气体的排放量，开始采用可再生能源技术。风能、太阳能和地热能源的使用不仅可以减少温室气体排放，而且耗水量极少，几乎可以忽略。然而，由于可再生能源的竞争变得越来越激烈，需要认真设计补贴方案，以允许低碳能源体现其多重优势，而不对低碳能源生产带来的附加成本造成过重负担（IEA，2013）。

最缺水的地区可能是个例外，在能源政策制定时，极少考虑各种能源生产过程对水的可用性（以及影响）。这两个领域历来是分开管理（World Bank，2013）。这导致了一些不可持续性的惯例，不仅危及水资源的可用性，而且对其他用户和环境构成风险（WWAP，2014，专栏3.3）。

然而，可以采取一些实用的方法，将能源和用水服务进行联产，开发协同的效益，如联合发电厂和海水淡化厂、联合热电厂、使用替代水源进行火电厂冷却，甚至从污水中回收能源（WWAP，2014）。

不幸的是，这种协同效应的机会并非到处可见。在一些情况下，对资源的竞争可以上升为水和能源之间的竞争，也就意味着一定程度的权衡是必要的。这些权衡需要管理和控制，最好是通过合作和协调的方式，这反过来又需要足够并兼容的数据和信息。

提高区域电网和同一区域跨界流域机构的合作，加之与有关国家政府的结合，可能有助于通过水电发展更好地协调水资源管理和能源部门。这种合作还可以有助于将水可持续地分配至区域内其他能源生产部门和用水部门。

最后，从全球可持续发展的角度来看，水在能源生产中的可用性（和限制）对于实现能源可持续发展目标及完成相关任务而言可谓一个必要和关键的因素。即使通过风能和太阳能光伏等可再生能源产生的电力将增加一倍，我们仍需要依靠水密集型能源来普遍实现可负担、可持续又可靠的能源服务，同时支持全球经济和工业发展。

9 工业

联合国工业开发组织水管理部门，John Payne，John G. Payne 及联合有限公司

自 1992 年《都柏林水与可持续发展宣言》发表以来，又有多个关于水与可持续发展的著名文件发布，包括千年发展目标、里约热内卢联合国可持续发展大会文件《我们憧憬的未来》。然而，没有任何一个文件专门就可持续工业发展进行阐述，直到 2013 年的《利马宣言》（UNIDO，2013）。

《利马宣言》关注通过可持续工业增长消除贫困，而可持续工业增长需要可持续发展三要素"经济增长""社会公平"和"环境可持续"的共同支撑，其基本原则是"工业化是发展的动力，可以增加产量，刺激就业，这些都将为消除贫困提供动力，并保障性别公平和年轻人就业（UNIDO，2013）"。《利马宣言》以千年发展目标和里约热内卢联合国可持续发展大会为基础，致力于推进 2015 年后发展议程，所提出的解决方案中包括自然资源的可持续利用及减少对环境的影响，这都与工业用水密切相关，也可彰显工业领域对保护环境的承诺，即强调"可持续生产和工业资源利用效率"（UNIDO，2013，第 21 章）。

哈萨克斯坦阿斯塔纳的在建新建筑

照片来源：Shynai Jetpissova，世界银行

9.1 形势

工业领域涉及诸多方面。本章主要关注制造业和采掘业，农业和发电行业是较大用水户，其相关情况已在第 7 章和第 8 章进行了讨论。用水服务行业的主要内容在第 5 章"水、卫生与健康"和第 6 章"城市化"中进行了讨论。

工业领域水挑战的范围是一个尺度函数。《经济合作与发展组织 2050 年展望》（OECD，2012b）预测，2000 年至 2050 年，全球制造业的用水需求将增长 400%，比其他行业都要高出许多。增长主要来自新兴经济体和发展中国家，体现在供水、水分配和水质三个方面。大型企业，特别是跨国或全球性企业，已经开始评价并减少供应链用水，并取得了显著成效（专栏 9.1）。中小企业面临着相似的水问题，尽管程度较轻，但缺乏应对能力。无论是发达国家还是发展中国家，大型企业或是中小型企业，均面临不同的水资源可持续发展的挑战。

<table>
<tr><td>专栏
9.1</td><td>采矿和可持续水资源：
智利 Esperanza 铜金矿</td></tr>
</table>

Minera Esperanza 铜金矿位于距安托法加斯塔 180 公里的阿塔卡马沙漠之中，处在世界上最干燥的地方，每年运营需水约 2 000 万立方米。保障长期可用的水源及水资源的优化利用对采矿业发展至关重要。因此，该矿厂设计采用未经处理的海水，在实验室条件下进行了相关研究后通过试点项目投入应用，寻求初次浮选使用海水的最佳条件，建造了总长 145 公里的供水管网，将矿区与太平洋沿岸连通。Esperanza 大部分员工都是从当地社区招募的，社区规划的一个主要目标就是提高建筑和矿井工人的劳动技能。为充分考虑性别公平，Esperanza 还致力于吸引妇女的参与，2010 年女性工人人数占总人数的 12%，而智利全国采矿业雇佣女性的平均比例仅为 6%。

资料来源：ICMM，2012。

在发达国家，强调的重点往往是对现有水资源的高效利用与保护。而在发展中国家，工业发展首先要解决的问题是保障供水的持续性与可靠性，而这往往是缺水地区所面临的严峻挑战。

依不同情况可制定相应的用水效率解决方案，但均取决于当地的工业发展程度和商业环境。通过修复旧有设施和工厂、或专门设计高效用水的工厂，或在适宜地区建设生态工业园，可以实现可持续工业（专栏 9.2）。

工业发展规划、其实施方案及其实际实施的程度取决于所在国家和地区的管理制度和相关贸易投资与保护协议。不同行业间水政策的冲突，如水与能源关系，往往会造成用水上的妥协。

9.2 挑战

在平衡可持续发展的需求与大规模生产的传统观念时，工业面临着一系列矛盾。如若解决这些矛盾，需要各方适当的妥协并改变生产模式，而用水是所有这些问题的核心。

从大的范畴看，全球化带来的挑战主要是如何公平地让全世界分享工业化的利益，同时还要保证水资源及其他自然资源的可持续。联合国水计划（UN-Water）提出了专门的水发展全球目标，为每个国家设定适合其国情、国家及区域涉水政策以及国家自然环境的目标，并指出实现目标同样需要妥协（WWAP，2014）。

专栏 9.2

生态工业园的水与废水

工业园区在发达国家和发展中国家都已存在一段时间。大多数工业园是经过严格的规划与设计而建成，但也有一些是自然发展的结果。工业园使企业的竞争力更强，也带来更多的社会、经济和环境效益。一般来说，工业园将工厂集群与生活区和其他社会活动区域分隔开来，然而这并不是普遍适用的情况。例如，设在中国的中国-新加坡苏州工业园就是由 60 家世界 500 强企业与 60 万人口的居住区共同组成。

生态工业园可以保障水资源的有效管理，同时有效进行液体和固体废物的回收。它们可以：

• 保障规范供水，提供更好的废水回收和处理方案，最大限度地利用和再利用水资源及其他资源；

• 帮助最大限度地减少碳排放，并遵守相关法规；

• 使整个水循环与工业园内企业的生产价值链紧密相连。

上海化工工业园就是一个很好的案例。这个工业园将一些氯产品化工企业集合起来，其服务商中法水务投资公司是一家提供整套供水、废水和废物处理服务的企业。

在设计阶段，工业园将专业设计的优势体现得淋漓尽致，整合可利用的最先进技术，采用合理的分散风险方式，最大限度地发挥未来科技的优势，并为投资者的资金提供安全保障。在运行阶段，工业园充分发挥专业运营的优势，提供高水平的运营和管理技术，通过园区内的专门实验室对质量进行严格控制，并设有研发基地以提高研发水平。

一些国家为保护特定工业而出台的废水处理规定促进了当地工业园的形成，例如土耳其的图兹拉皮革工业园区项目。也有一些国家，为避免其传统工业区因环境保护区的扩张而受到威胁，通过水与废水处理的一体化管理得以持续，例如英国提赛德的 Bran Sands 工业园和法国 Villers-Saint-Paul 工业园。

资料来源：AquaFed. 如需更多工业园信息，请浏览如下网址：SIPAC（www.sipac.gov.cn/english/），SCIP（www.scip.com.cn/en/），Tuzla（www.ideriosb.org.tr/hizmetler/aritma），Bran Sands（nwl.co.uk/business/water-and-waste-water-management.aspx），Villers-Saint-Paul（www.suezenvironnement-media.com/wp-content/uploads/2014/02/12.-Villers.pdf）

工业的首要目标是产量最大化，而不是用水效率及节水。即使是在用水效率提高的成功案例中，为了追求产量提高，节水往往被忽视，问题也就会反弹（Ercin 和 Hoekstra，2012）。因此，尽管用水工艺的节水效率较高，用水量仍可能不会下降。与此同时，尽管水是工业生产的宝贵资源，工业企业

要么通过自供获得水源，要么从附近社区以最低价格购买生产用水，而这两种方式都不能提高用水效率。成本效益的观念使人们往往想把提高用水效率当成降低成本提高效益的手段，而不是优化水资源利用的途径。在不同工业领域，水热点问题既有高风险也有着很大的机遇，详见图9.1。

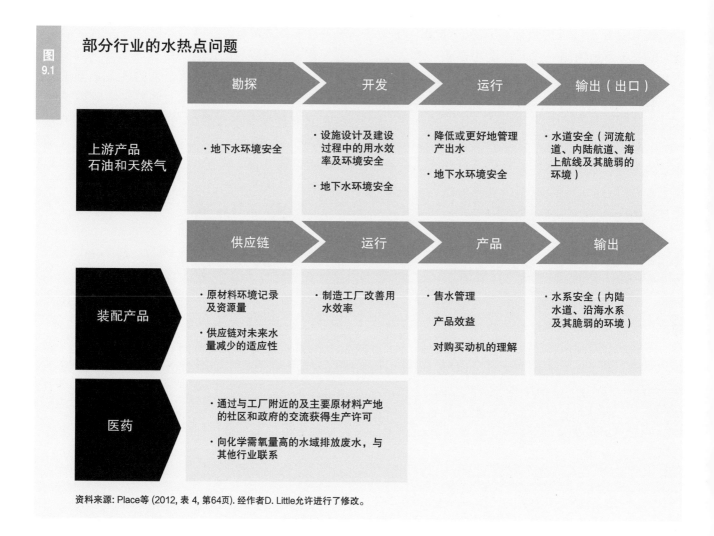

图 9.1 部分行业的水热点问题

资料来源：Place等 (2012，表 4，第64页). 经作者者D. Little允许进行了修改。

用水效率经常需要经济上的退让，主要问题在于回报率。在高效水处理技术或冷却工艺上的投资回报期可能比生产上的短期投资回报期要长。另外，低水价（甚至是免费用水）也不利于促进在用水效率方面的投资，可能需要采用水量分配或取水等进行补充。理想的情况是，从长期看，投资可持续用水技术将会大量地节约用水。然而，支付污染罚款却比投资改善水处理技术划算得多。企业管理者们需要尽量满足股东的要求并补偿其损失。而政府和立法机构有责任采取措施（如制定标准、许可、禁令、罚款、收费等）鼓励各行业将其商业目标与公众利益有机结合。

与用水效率矛盾相关的另一个窘境是用水新技术的推广。从来都不乏好的创意，甚至有些技术的实用效果非常理想，如特定污染物去除技术，

但推广这些技术却需要努力让企业接受更加有效的水处理整体方案。当然，将一项新技术从概念变成实验，从实验变成试用，再从试用变成商业推广存在着诸多困难。投资者们希望他们的资金能够得到充分利用，工业企业管理者们则希望能获得良好的信用记录，而这些都无法加快技术创新。

成熟的政策法规可以将强制要求和鼓励措施有机结合，或许可以帮助工业领域达到经济、社会效益与环境的平衡（WWAP，2015，第 6 章新加坡水循环案例研究）。此外，推广可持续措施需要培训人员和财政支持。因此，特别是在转型国家和发展中国家，像联合国工业发展组织这样的机构就可以起到桥梁作用，提供必要的激励办法。

9.3 措施

在不同产业中推广水资源可持续发展通常采用如下两种方式中的一种。第一种，自上而下由不同级别的政府主导的措施。这些措施包括命令控制手段（即胡萝卜加大棒政策），包括政策、法规、强化措施和激励措施。作为典型的点源污染源，制造业应是这些措施的目标。过去的措施往往只注重技术和表现，忽视了预防措施和资源效率（UNEP，2011）。第二种，自下而上由行业反馈给政府、公司内部政策、用户需求及公众压力。这种行业措施更加实际并更具操作性，经常需要通过应用技术和工程措施达到目标，满足需求。企业要想生产合格的产品，商务和管理支持不可或缺。

支付污染罚款可能比投资改善水处理技术划算得多！

一些跨政府机构建议综合使用自上而下和自下而上两种措施：他们通常扮演中间人的角色，提供指导，帮助设定目标并提供专家咨询建议（专栏9.3）。其他参与者还包括在各个层面提供专业服务

的非政府组织和学术机构。

9.3.1 治理方向

可持续工业政策有四个工具（UNEP，2011），《利马宣言》都有涉及：

规范和管理机制通常关注取水和废水排放，主要包括法规、标准和许可。规范和管理机制的优点是可以推动最佳可行技术的应用和"谁污染谁付费"原则的实施，促进生产企业进行废水回收再利用；这种机制的缺点是其采用的标准可能无法随技术的发展而调整，而企业则需要预测和调整，以保证长期规划和投资能够适应变化。

经济或市场工具可以包括违规罚款、取水及废水排放收费。为了推行水资源综合管理，水价可以与税收和信用体系相结合，而用水量则可以通过取水许可交易制度进行调节，但全世界目前只有少数国家实施了这种制度。我们可以通过行业发挥主动性或实施相关项目在发展中国家推介用水信用和交易制度（UNEP，2011）。在这些国家里，我们可以采用与适应气候变化相似的措施，在一些特定的行业推行水资源可持续管理战略。同样，这些行业措施也可以冒险确定污染大户，而非只关心这个行业或其他行业的供需价值链。

专栏 9.3

联合国 2015 年后全球水发展目标及其对工业的意义

联合国已经提出了一系列可能的全球水资源可持续发展目标和指标（见第 16 章），并分解到国家层面。这些目标与《利马宣言》吻合，可以想象，它们将为工业提供宏观的行业指导。值得一提的是，其中有两个目标，即水质与水量，与工业直接相关，可以解决 2015 年后发展议程的可持续发展目标中的复杂问题。

目标 B 致力于推进水资源的可持续利用与开发。我们需要采取行动，通过高效的工业流程提高水资源生产力并减少排污。这其中一个核心的指标就是工业取水量产生的 GDP 值的变化。我们的目标是以水资源的可持续管理来平衡社会、经济和环境需求。

目标 D 致力于解决废水处理和污染问题。水质保护是可持续发展的前提。从工业角度考虑，目标 D 的主要内容是减少未经处理的工业废水的排放和提高安全的废水回收再利用程度。这一目标关注的焦点是点源污染和面源污染。目标 D 有一个指标反映了公共系统中未回收的工业废水与国家标准的比率，还有一个指标是工业废水处理厂处理后排放的水安全再利用的比率。

资料来源：UN-Water，2014。

财政工具和激励政策由公共支出、补贴、税收组成，可影响工业成本收益分析并改变"一切正常"的状态。税收制度可以激励技术变革，对高效节水的产品免税，或对未采用节水技术的产品征税

均可达到同样的效果。当前有一种趋势，在发达国家尤为明显，那就是取消对水价的补贴，以保证水价与成本相符合。人们已经普遍认识到，用水效率低往往是用水户包括工业用水户支付的水费低于用

水成本造成的（WBCSD，2012）。众多支持可持续制造和环境补贴的资金渠道，可以鼓励水技术创新研发。缺少商业融资的中小企业可以获得环境税收资助的优惠贷款。

志愿行动、信息和能力建设依赖于信息工具，如产品数据和标签报告，这些都或多或少地包括用水效率或污染数据。生态标签和客户节水意识也可以反映出用水和污染的情况。针对中小企业的扶持项目可以提高资源利用效率和资源回收再利用。

图 9.2 不同产业的水足迹

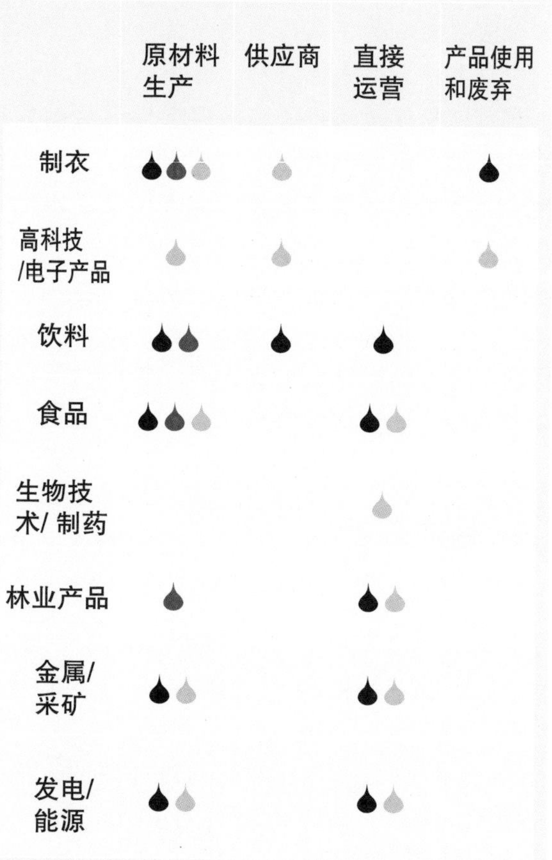

	原材料生产	供应商	直接运营	产品使用和废弃
制衣				
高科技/电子产品				
饮料				
食品				
生物技术/制药				
林业产品				
金属/采矿				
发电/能源				

注：图上的水滴表示本产业在该环节节水踪迹的情况，从大到小表示为深蓝、绿色和灰色。水足迹是一个有效的用水指标，能同时表示消费者或生产者的直接和间接用水情况。个人、社区或商业水足迹指的是生产个人、社区和商业所用商品或服务所用的淡水资源量。

资料来源：Morrison 等（2009，表3，第20页）。

9.3.2　产业的反应

只有政府所做出的努力得到各产业相应的反应

时，才能改善用水效率（UNEP，2011）。

可持续用水措施得到应用并取得成功的前提是这些措施必须与基本利益紧密相关。水足迹评价（WAP）指的是工业直接或间接使用淡水资源的量（UNEP，2012）。水足迹评价适用于供应链及生产过程（图10.2）。大部分企业供应链水足迹比实际运营要大得多，将可持续发展投资转移到那个方向可能更划算（Hoekstra 等，2011）。超过80%到90%的企业水足迹及其水风险都比其直接运营情况高（Place 等，2012）。或许应该将下游用水考虑在相关分析内，下游用水指的是产品生产出来后在购买、使用和废弃过程中的用水量。水足迹还改变了用水的概念，将消费与回收水结合起来，并将用水的焦点从遵守排放标准转移至生态意义上的灰水足迹管理（UNEP，2012）。尽管如此，水足迹评价方法仍有不足之处，其实用性在很多种情况下仍受到质疑。

水管理工作指的是一个企业在运营过程和供应链中的表现（WWF/DEG KFW Bankengruppe，2011）。管理工作意味着在流域层面采取积极的保护、修复和管理，平衡内外表现。在同一流域内与其他利益相关者的沟通协调非常关键。图 9.3 演示了水管理工作的三级战略。在工厂层面，相关措施包括清洁生产、零排放、相关技术的应用、生命周期管理和生态设计。在产业层面，要在供应链和经济区产业集群推行可持续理念，使水资源得到最充分的使用，使废水得到回收再利用。这些措施有助于循环生产理念的推广。

9.3.3　联合国工业发展组织充当催化剂：绿色产业倡议

为与政府和产业行动保持一致，联合国工业发展组织推行了一项绿色产业政策来实践《利巴宣言》（UNIDO，2011a）。此外，工业发展组织还积极推动绿色产业倡议（表9.1），这一倡议直接适用于用水效率（UNIDO，2011b）。

商业合作伙伴关系对绿色产业的发展至关重要，主要包括社会投资、慈善、各利益相关者和各种转型伙伴关系（UNIDO，2014），其主要目标是把握私营行业的核心力量，改变商业操作模式，适应可持续发展目标。为了将这一政策付诸实施，工业发展组织在一些国家成立了国家清洁生产中心。中心通过采用环境友好型技术来证明可持续和更加清洁的生产方式同样可以创造经济效益（UNIDO，2014）。

图
9.3

工业的水管理工作战略

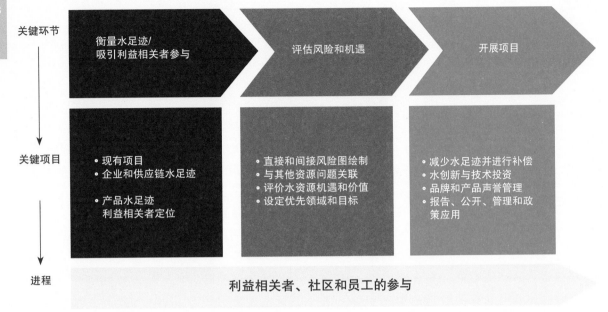

关键环节 → 衡量水足迹/吸引利益相关者参与 → 评估风险和机遇 → 开展项目

关键项目

- 现有项目
- 企业和供应链水足迹
- 产品水足迹 利益相关者定位

- 直接和间接风险图绘制
- 与其他资源问题关联
- 评价水资源机遇和价值
- 设定优先领域和目标

- 减少水足迹并进行补偿
- 水创新与技术投资
- 品牌和产品声誉管理
- 报告、公开、管理和政策应用

进程

利益相关者、社区和员工的参与

有效的水管理工作战略有三个关键阶段，每个阶段都有相关项目加以支撑。在所有阶段都需要利益相关者、社区、员工的全程参与。

资料来源：Deloitte (2012, 图1) 和Sarni (2011)。

表
9.1

联合国工业发展组织绿色产业倡议

改善现有产业 帮助企业改善资源生产力和环境表现	创造绿色产业 建立新的运行机制，提供环境友好型产品和服务
・材料、能源和水的有效利用 ・减少废物和碳排放 ・安全和负责任的化学品管理及可再生原材料应用 ・淘汰有毒物质 ・可再生能源替代矿物能源 ・生产过程再设计，绿色化学	・3R产业（3R即减少、再利用和回收） ・污染控制技术和设备 ・可再生和高效能源技术 ・废物管理和资源回收 ・环境咨询和评价服务

资料来源: UNIDO (2014)。

10 适应气候多样性与气候变化

联合国教科文组织—国际水文计划和世界气象组织｜Wouter Buytaert，Anil Mishra，Siegfried Demuth，Blanca Jiménez Cisneros，Bruce Stewart 和 Claudio Caponi 特别贡献

10.1 形势

可持续淡水资源管理的关键是用能够保障当今和未来持续用水（水量和水质）的方式，平衡供水与需求和使用。气候多样性和气候变化可能会影响这一平衡，增加挑战（IPCC，2014）。

气候变化将在以下几方面影响自然界水平衡及水资源可获得量：水资源空间分布和降水量的变化会影响水资源补给。气温升高会造成地表水和土壤蒸发量增加，植被蒸腾作用加剧，间接减少了水资源可获得量。海水入侵，高水温导致的溶解氧过度消耗，极端降水导致的高浓度污染物流入水体（IPCC，2014）都可能会影响到水质（Hipsey 和 Arheimer，2013）。所有这些问题都会影响生态系统，包括生物多样性和生态系统服务。

尽管上述问题基本物理规律非常直白，但气候变化对区域水资源的具体影响非常难于界定。其中的一个原因是尺度问题。一个流域的水资源是由当地和区域性天气情况及用水方式所决定的，而目前的全球气候模型针对区域性气候变化对水资源影响的分析非常有限（Todd 等，2011）。

另一个问题是天气和气候模式，人类活动和非人类活动导致的变化会对水文过程造成复杂影响，包括次生影响、交互作用和反馈（Milly 等，2010）。例如，降水量和温度变化会造成自然植被的改变，这不仅会影响蒸发，还会影响降水和土壤湿度的相互补充。一些人类活动，如砍伐森林、改变土地使用模式、土壤退化、耕地扩大、工业占地、水污染等通常会对水资源可获得量和水质造成严重的负面影响。

最后，水需求的空间分布模式多种多样并不断变化。许多发展中国家人口增长和生活水平的提高促使水需求不断增加。城市化的全球趋势刺激城市的水需求（见第 6 章），加剧对临近水源的压力，进而导致成本高昂的跨地区输水。

我们有很多工具解决这些问题。数据和动态分析可以将气候模型的计算结果分解至流域层面。电脑仿真模型也可以用来分析水量和水质。然而，气候变化、生态系统反应、水质、水消费模式和政策之间的复杂关系并不能得到人们的充分理解，而且，可以将上述因素都考虑在内的模型又很难简单复制。因此，分解方法所得出的模型分析结果通常具有高度的不确定性，对可持续发展的必要决策，基本没有价值。例如，这些分析结果不能帮助决策者确定应该在什么位置开发或如何使农业基地、生活区或工业区既可以获得当前和长期的充足供水又免受洪水威胁。

10.2 挑战

一些气候诱发的变化也可以为当地和区域水资源带来积极影响。气温升高可能使高纬度水资源丰富的地区和山区更适宜居住。降水量的增加可以缓解干旱和半干旱地区的水资源短缺。建设适当的储水和收集的基础设施可能将气候变化转变为积极的影响。然而，气候变化对淡水系统的消极影响可能远高于积极影响。

当前一些预测分析表明，水资源风险随着温室气体排放的增加而显著增加，导致各行业用水和用水户竞争的加剧，对区域性水安全、能源安全和粮食安全造成了威胁（IPCC，2014）。如果再加上不断增长的用水需求，水资源风险将对水资源管理带来巨大挑战。

对于与气候变化相关的水资源可持续管理而言，存在多种多样的威胁。在沿海地区，如孟加拉部分地区和东南亚大部分地区，海平面上升对沿海淡水层的咸度造成了影响，并将影响饮用水水源和沿海生态系统（WWAP，2015，第 5 章，太平洋小岛屿发展中国家水安全挑战：关注萨摩亚群岛海水入侵）。许多超级城市和正在发展的大城市都位于沿海地区，面临不断增加的洪水风险和生态系统退化（World Bank，2010c；Hallegatte 等，2013）。此外，热带和亚热带山区由于其恶劣的自然环境一直处于贫困状态。冰川融化、湿地干涸、森林砍伐和水土流失可能会破坏山区

生态系统,进而威胁社会经济发展,加剧与周边低地的发展鸿沟(Viviroli 等,2011)。处于冰冻状态的冰雪圈的水,是温度变化的直观证据。也是许多国家的主要淡水水源。考虑到人口分布,不同地区应对气候变化的能力各有不同,但有一点非常明确,那就是气候变化必然会加剧当前的不平等状态,包括性别不平等。女性往往更容易受到气候变化导致的自然灾害(如洪水和干旱)的影响。

气候变化将在以下几方面影响自然界水平衡及水资源可获得量,水资源空间分布和降水量的变化会影响水资源补给。

除了气候变化的影响,还有一些一直存在的问题制约了应对措施的制定,如缺乏数据、社会经济和气候模型的预测能力不足,缺乏有效的决策支持系统,以及缺乏有效的体制、机制等。

美国 2014 年旱期俄勒冈州的埃来格兰特湖

照片来源:Al Case

谈到数据,有效数据的获取是永恒不变的难点(见 1.4.4)。全球"原始"水文气象网站从上世纪80年代起就在不断萎缩,特别是在热带和亚热带地区,当前,这些地区缺少有效雨量监测站,有些地区无法获得有效数据(WMO,2009)。人口稠密区和经济技术区水文气象监测也同样受到制约。从操作层面说,这种情况制约了有效监测和未开发资源的合理利用,加剧了贫富分化。新的数据源,特别是卫

星观测数据,解决特定水文过程(如降水和蒸发)数据短缺问题的潜力很大。通常来说,整合"原始"数据和遥感监测数据可以获得比较好的结果。但是,在一些地区,收集"原始"数据成本高,对收集和处理数据的人员能力要求也高,特别是地下水分析和水质测量(Hipsey 和 Arheimer,2013)。

如果没有优质的相关数据,社会经济、水文和气候模型的性能就会受到限制,而无法对决策和政策制定提供有效支持。从预测区域土地使用变化影响到全球气候分析,模型为不同气候情景的影响、如何使用敏感分析等工具提供了各种分析结果。因此,模型可以平衡不同政策和适应措施或适应/减缓措施的成本和效益。但是如果水循环模型不能采集到有效数据(特别是气候变化造成的不稳定条件)的校准,其不确定性将成为根本的制约问题(Beven,2008)。我们需要量化这种不确定性,将其应用在管理未来风险和效益的过程中,这样才有可能支持决策(Brugnach 等,2008)。

当前水资源管理机制已成为制约应对气候的瓶颈。比如,缺乏对水权的正确定义和强化将阻碍许多发展中国家贫困人口和脆弱社区水问题的解决。同时,尽管水资源综合管理得到越来越广泛的应用,政治决策过程往往会忽视水资源自然界限,这在跨界河流和地下含水层矛盾中尤为明显。

最后,当前的灾害应对和预防管理战略仍未得到良好的整合,更多的仍是仅关注单独的灾害(如洪灾、旱灾),而不是寻求全面可持续发展的提高应对能力的战略。

10.3 措施和机遇

10.3.1 适应管理

我们现在就应该开始制定适应气候变化的战略。这个战略重点应放在稳健策略和制定接近完美或完美的解决方案❶,这样才能应对当前气候影响的不确定问题(Heltberg 等,2009)。

适应性水资源管理的目标是将管理方式从"预测-控制"模式转变为建设恢复模式。旧模式的战略包括不可逆转的决策,长期高额投入的基础设施建设以及一成不变的管理策略,不允许被调整和学

---

❶ 完美解决方案指无论未来气候情景如何,这种方案都可以保证效益。

习。而适应性水资源管理允许未来气候变化的不确定性，致力于寻求一种灵活性强、有活力和有适应力、并能够持续学习更新的水资源管理方法。适应性水资源管理致力于提升对气候变化及不确定条件的有效应对的能力，制定能应对未来任何气候情景的解决方案（Pahl-Wostl，2007）。

这种方法在对气候变化敏感的脆弱地区尤其奏效，如地势低洼的河口地区或其他沿海地区、环境脆弱的山区以及干旱和半干旱地区。例如，喜马拉雅山脉和安第斯山脉曾经有过密集的土地开发历史，形成了大面积耕地和梯田，造成了大规模森林和土壤退化。这些对水资源的水质和水量两个方面都造成了负面影响，土地退化增加了地表径流，减少了对地下水的补给，加速一系列水文影响，增加了洪水和干旱风险。如果这些影响与山区人口增加叠加在一起，未来的可持续发展很难维系。气候变化与其他因素（如大规模土地开发造成的土地退化）的交互作用可能会降低负面影响的速度和强度，但基本的负面方向不会变化。因此，接近完美战略（Jiménez Cisneros 等，2014），如保护生态系统来保障清洁供水，修建水库来增加小流域水量，以及减少水资源分配损耗和降低水需求，将会成为提高社区可持续能力和防御能力的重要渠道。

10.3.2 政策制定所需的知识开发

为应对水资源适应气候变化的各种问题，加强对天气与气候的监测和评估将是重中之重。数据可获得性与水资源脆弱性往往呈相反表现，需要特别关注那些极脆弱、自然环境极为复杂而数据又非常少的关键地区。这些地区包括低收入国家的山区和干旱半干旱地区，以及为快速发展的大城市提供生态系统服务的河流及地下水体系。我们需要加大对传统监测网络（如"原始"监测，它具有灵活、成本低和便于维护的优势）的投资，因为传统监测网络的历史数据可以为科学知识开发提供支持。

与此同时，开发新的数据采集技术，有助于建立知识库并加强对未来趋势的理解。遥感技术开发初期成本高昂，但却可以在传统的数据缺乏地区采集观测数据。价格低廉的电子设备、网络技术、个人设备（如广泛使用的手机服务）、云计算数据分析、分散传感器网络等新事物的兴起，往往在数据采集和知识创造的过程中与基层参与者发生联系。这种"公众参与式科学"（Gura，2013）将知识开发者和使用者紧密联系起来，创造额外的价值。尽

管如此，数据核查和修正仍然是水资源管理决策系统不得不面临的突出挑战。

我们面临的另外一个挑战是收集数据，提高对水循环与其他自然和人类活动之间（如碳循环、人口增长、粮食生产、能源消费和生态服务等）的关系和相互作用的理解。为了能使数据分析充分满足适应性措施的评估与实践要求，我们还有很长的路要走。将政策措施转变为模型参数，这本身就有很高的不确定性，且难度很大。如果再加上模型本身的不确定性和缺陷，问题就更复杂了。

技术人员、水管理者和政策制定者的能力建设是优化开发可行动知识的另一个前提。新数据源开发，模型换代和数据分析方法更新，以及适应性管理策略的制定都需要新技能和继续教育。同样地，关注数据匮乏、环境脆弱的偏远地区的相关工作人员的能力建设可以帮助缩小传统知识的差距。

加强对目前所掌握的环境及社会经济的观测数据、思考和预测之间的交流，对政策的成功实施非常关键。将环境、社会经济数据及其缺陷与政策制定过程整合非常困难，尤其需要参与者们加强交流和互动。数据和模拟的可视化和交流新技术（信息图）诞生（Spiegelhalter 等，2011），使双向交流及情景分析的交互作用成为可能。气候信息及服务，包括数据、结论、评估、监测、预测和演示等，是用户在不同级别做出气候适应决策所必须的条件，需要在国家和地方都建立相关的信息系统。我们需要推动知识共同开发。在共同开发的过程中，科学家会听取政策制定者的需求，并与之进行交流，同样，政策制定者也尽量理解科学技术的缺陷并接受将其置于决策过程之中（Buytaert 等，2012）。这将有力支持适应性治水，同时帮助理解持续监测的信息，并提高自身能力来不断改变适应策略。

最后，机制建设可能改善适应气候变化战略。特别是气候变化与其他自然和社会经济活动变化的相互作用，让我们认识到需要一个更加综合的措施，如将可持续发展与灾害应对及人道主义援助结合。加强流域内用水户、权力机构和其他利益相关者的交流可以推动出台更加综合的措施，以便更好地沟通、协调和决策。配合水资源分配与规划公开化、透明化、优先化，特别是在缺水的情况下，这些措施一方面有助于形成短期解决方案，提高环境的可持续能力和社会的防御能力；另一方面也有助于加强长期监测和开发科学知识。

第 3 部分
区域

秘鲁农民步行通过库斯科土豆园
照片来源：Manon koningstein (CIAT)

报告的前几章从全球视角描述了各种挑战、联结和机遇。然而，水与可持续发展所面临的挑战会因地区的不同而产生很大变化。报告第三部分阐述了在世界上一些代表性地区面临出的挑战与机遇。

五个章节分别涉及欧洲与北美、亚太地区、阿拉伯地区、拉丁美洲和加勒比地区以及非洲。五个地区的划分依然遵循世界水发展报告第 4 版（WWAP，2012）中联合国地区经济委员会（UNECE，UNESCAP，UNESCWA，UNECLAC 和 UNECA）成员国地图的区域划分方式。关于阿拉伯地区和非洲这两个章节，将在阿拉伯地区这一章对所有阿拉伯国家进行分析，非洲这一章对这些国家不再进行阐述。

联合国欧洲经济委员会所涉地区的许多国家有很高的经济发展水平和人均资源使用量，这给自然资源带来不断增加的压力。与此同时，贫困问题在以经济发展为主的泛欧地区（欧洲东南部、东欧、高加索和中亚）的东部（地区）广为存在。这两种情况均反映了人们需要不断提升资源使用效率，减少浪费，改变消费模式并运用恰当的技术手段。该地区内许多流域在各个水资源使用部门之间都存在摩擦（联合国欧洲经济委员会，2011）。目前的问题是如何在水资源领域更有前瞻性，并重视加强各部门政策的进一步融合与衔接。在未来几年内，人们应优先考虑调解各流域的水资源使用差异以及促进国内和国际间政策的一致性。

在大多数地区，对自然界"氮循环"系统的管理问题一直是一个挑战，提高农业中营养成分的处理对解决相关问题非常关键。欧盟38％的水资源机构因广泛传播的农业污染问题而倍感压力。欧盟水资源蓝图也表明有必要针对农业体系范围广的特点采用不同的方法解决污染蔓延。因此，农业的"长青"状态在考虑气候变化的潜在影响时也包括提高农业用水效率（尤其在欧洲东南部、东欧、高加索和中亚地区）成为地区可持续发展的第二大关键优势。

11.1 用户间的协调

对于水资源的可持续性管理而言，各个层面（从国家到各流域和各子流域）之间的良好协调并兼顾各方利益的联合规划非常重要。在东欧，高加索和中亚（EECCA）地区，亚美尼亚、吉尔吉斯斯坦、塔吉克斯坦和乌克兰等地已经建立起水资源使用的各项跨地区协作机制，在阿塞拜疆和哈萨克斯坦等地区也正在建立相应机制（UNECE/OECD，2014）。加入欧盟水倡议国家政策对话的各国定期召开会议，就水政策发展的主要问题交换意见（UNECE，2013）。在对这些跨地区的意见进行磋商后，通常会出台一些政治决策。例如在土库曼斯坦，按照联合国欧洲经济委员会（UNECE）水公约❶的精神和水资源综合管理的各项原则，一个由各部委组成的专家团草拟了一份新的国家水密码（EU，OECD 和 UNECE，2014）。

地区间发展目标的不一致、地区间资源的管理与交换中出现的意外后果会产生摩擦，甚至可能会带来冲突。这种情况在国家机构间尤为明显，对地区间的负面影响提出意见或对地区间的潜在协作进行投资的跨地区协作和进程都变得更加具有挑战性。目前，人们挑选了一些跨国境的流域进行水—粮食—能源—生态系统间联系的评估，这项评估是在联合国欧洲经济委员会水公约的宏观背景下发起的，与国家管理体系紧密相连，目的是为了通过知识、对话和共同认识来夯实决策的基础。解决方法包括政策的调整、管理与协调以及基础设施运作。在横跨阿塞拜疆和格鲁吉亚的阿拉扎尼河/甘尼克河流域，为提取生物燃料而进行的森林采伐破坏了生态系统和服务链，同时，沉淀现象愈加恶化。在评估水—粮食—能源—生态系统各项之间联系的过程中，能源政策，特别是农村地区的煤气化和电气化进程已成为缓解上述情况的潜在工具（UNECE，2014）。

建立一个制度和法律框架是解决跨领域间问题的基础（Beisheim，2013）。萨瓦河流域的跨国合作涉及航运、可持续水资源管理、旅游和灾害治理等方面，这些合作均以河流框架协议❷和国际萨瓦河流域委员会为基础。这项永久机制会一直为流域的联合/综合发展规划提供一个跨国协调的平台。多瑙河保护国际委员会、萨瓦河流域委员会和多瑙河航运委员会在成员国间达成了一系列紧密的跨领域合作共识，由

---

❶ 跨界水道和国际湖泊保护与利用公约（1992）。该公约25条和26条的修订于2013年2月6日生效，这也标志着公约自此成为向联合国欧洲经济委员会以外的国家开放的一项跨国水资源合作法律框架。
❷ 萨瓦河流域框架协议（2002），航运管理草案（2002），航运水污染治理草案（2009），洪水保护草案（2010）。

美国密歇根中部的风车农场

照片来源：Mike Boening Photography

此《关于多瑙河流域地区航运和环保发展指导原则的联合声明》也应运而生（ICPDR/SRBC，2007）。

不同水资源用户间的正式合作有助于更好地作出决策，并减少各领域间因目标不同而产生的分歧。然而，在各领域间进行有效的、平衡的治理是一项复杂的工作。通常，解决方案的制定在很大程度上取决于客观环境的特异性。罗纳河的案例表明：即使成员国间的合作不断增加、流域治理问题备受关注、水资源用户数量也不断增长，流域治理仍面临着挑战——区域内达成的各项协议无法保证对河流进行更加综合一致的治理（Bréthaut 和 Pfieger，2013）。

11.2 "绿色"农业实践

为考虑粮食、农业生产与消费造成的环境影响，许多联合国欧洲经济委员会地区的国家政府已经开始重新审视他们的政策。在追求绿色增长战略的过程中，经济合作与发展组织为保证农业的绿色增长已经采取多项措施，包括：

· 环境法规及标准，例如控制农用化学品的使用；

· 采取一些辅助措施以取得更好的环保成果或进行有益于环境的生产行为和运用绿色技术进行

公共投资；

· 经济工具的应用，例如对破坏环境的行为征收费用。

中亚的农业现代化也面临压力。该地区的农作物正逐渐呈现多样化，人们正努力减少大量老旧基础设施的水浪费问题。哈萨克斯坦颁布了《绿色经济转型总统法令》（哈萨克斯坦政府，2014a），下大决心为提高包括农业在内的不同领域水资源使用效率设立目标，很好地贯彻了新《水资源管理的国家级项目》的精神（哈萨克斯坦政府，2014b）。

欧盟共同农业政策（CAP）改革在 2013 年后会重点改变欧盟地区农业用水。Albeit 严肃指出，引入"绿色支付"——其中可用的国家农业补贴的 30％用于某些可持续农业活动的开展，例如永久绿地与农作物的多样性——意味着补贴的很大一部分会用来作为农业主生产环保公共产品的回报。其他欧盟工具，例如标准的交叉遵从（某些需要达到特定环境要求而进行的 CAP 支付）以及农村发展基金，一直对提升水质与水量的政治目标起到正面影响。然而，欧盟审计员们认为这些工具在实现 CAP 政治目标方面的作用是有限的（ECA，2014）。

有效资源欧洲（Resource Efficient Europe）的欧盟发展路线（EU Roadmap）要求，截至 2020

年，水提取量应保持低于可用的、可更新水资源的20％。在面临预测危机增加问题的时候，欧盟水蓝图（EC，2011）提到一系列提高用水效率的方法和工具，包括定水价、创新、用水效率的目标以及减少漏损。欧盟水框架指导意见（EU，2000）对建立水定价计划提供了标准，引入了成本回收、"污染者付费"的原则以及奖励水价等多个概念。对农业用水收费对于减少水资源使用有着主要影响，但会有一些因素制约其实施，包括缺乏恰当的税收机构、社会阻力以及影响粮食价格的诸多考虑（ARCADIS 等，2012）。

在泛欧洲，地中海地区是水资源最为匮乏的地区之一。塞浦路斯的政府一直通过向农户提供补贴和长期、低息贷款的政策激励他们转向使用高效的灌溉系统。这项政策的实施给灌溉的行为方式和效率都带来很大改变（EEA，2009）。然而，灌溉效率的提高会导致灌溉区域的扩大而非河流流量的增加❶。

在许多欧盟成员国家，废水的再利用有巨大发展潜力，但由于缺乏水安全标准以及农作物销售潜在影响的关注等方面原因而受到限制。

在过去几十年里，尽管美国采用自压喷灌系统使用水效率不断提高，但仍有至少一半的农田灌溉采用传统方式。与此同时，超过90％的灌溉商们没有使用诸如感应加湿器和商用灌溉调度服务（Schaible 和 Marcel，2012）之类更有效的农田水资源管理方式对农作物灌溉的要求加以评估。在围绕为解决不同的农业利益、政府花费与为穷人提供用水支持等问题产生的矛盾展开长期讨论后，美国于2014年2月通过了一项农业法令（即2014《农业法》）。该法令为农场主提供了范围更广的农作物保险、删减了一项无论种植农作物与否都要支付的补贴，缩减了十年高达85亿美元的粮食券预算（营养补充帮助项目），并引入了新的土壤保持方法❷。

---

❶ 依据欧盟农村发展规定，增加灌区的投资只在河流流域管理规划未明确水量压力的情况下是合适的。该项规定修改了欧洲农村发展农业基金（EAFRD）规范的固定文本 COM（2011）627/3（EC，2012）。

❷ 美国国会 2014 年颁布《农业法》，参见 http：//www. nytimes. com/2014/02/05/us/politics/senate-passes-long-stalled-farm-bill. html？_r＝0 and http：//www. pewtrusts. org/en/research-and-analysis/blogs/stateline/2014/02/04/congress-oks-food-stamp-cuts-in-farm-bill

12 亚太地区

联合国亚太经济与社会委员会 | Kelly Anne Hayden，Donovan Storey，
Jeremy Tormos-Espinoza 和 Salmah Zakaria

亚太地区人口稠密，在当前气候变化、城市化加速以及可供水质量、数量都存在问题的情况下，面临着降低水相关灾害风险的挑战。在下文中将详细讨论这三个问题。然而，该地区面临与水有关和可持续发展的挑战，绝不仅限于本报告所包括的内容。例如，工业发展的加快和能源需求的增长使得该地区原本面临压力的水资源变得更为窘迫。种种挑战及其叠加作用严重阻碍了该地区的可持续发展。

尽管在改善饮用水质量方面已经取得了一定的进步（1990—2012 年，南亚地区供水质量改善惠及人口增加 19%，东亚地区增加 23%），但是，2012 年该地区仍有 17 亿人口（其中半数以上居住在农村）的卫生条件没有改善（WHO 和 UNICEF，2014a）。

12.1 水相关灾害

亚太地区是全球灾害最易发地区之一。2013年，该地区因水相关灾害遇难人数超过 17 000 人，占全球全部水相关灾害遇难人数的 90%。遭受经济损失总金额超过 515 亿美元（CRED，2014）。过去的几十年中，人类生命财产面临的水文气象危害持续增加。伴随着城市化进程，人们在洪泛区等灾害易发区域定居，这些区域的重要经济资产不断增加（UNESCAP/UNISDR，2012）。

气候变化（见第 10 章）可能增大极端事件的发生率和极端程度，专家预测，超过正常季风降雨量或者降水极端偏少的年份将增加（IPCC，2014）。

湄公河三角洲区域将面临更多的极端气候挑战
照片来源：G. Smith/CIAT

冰川融化将影响供水，冰川湖暴发洪水及某些下游地区发生洪灾的风险因此增大，从长期来看，积雪和冰川径流提供的水量将总体下降（World Bank，2013）。从长期来看，干旱也将成为更加严重的问题，特别是在供水问题已经严重的情况下（IPCC，2013）。

仅印度、中国、尼泊尔、孟加拉国及巴基斯坦的地下水用量就几乎占全球的一半。

各国政府一直努力使国家和社会更具活力，但是，仍有相当多的工作要做。许多国家都存在政策执行不力、保护弱势群体措施缺乏、应对灾难的制度能力薄弱等问题。一些国家一直以发展规划的方式将降低灾害风险融入国家发展战略。灾害可将来之不易的发展成果毁于一旦，并导致长期的经济和社会损失，基于这一认识，孟加拉国、中国和印度尼西亚政府始终保持对降低灾害风险的投入（UNESCAP，2013）。

12.2 城市水

亚太地区是全球城市化速度最快的地区之一，城市人口年增长率达 2.4%（见第 6 章）。2012 年，该地区 47.5% 的人口（超过 20 亿人）居住在城市（UNDESA，2014），30% 的城市人口生活在贫民区（UN-Habitat，2013）。据估计，到 2015 年，城市居住人口将达 27 亿（UNDESA，2014），这给该地区城市包括水资源在内的基础资源带来了巨大压力，也削弱了各国政府和城市为可持续发展付出的努力。

亚太地区面临着很多城市水方面的挑战。其中包括饮用水供给（输水损耗占很大比例）、水质控制、排污网络及污水处理系统覆盖有限（常常缺乏）、污染控制以及生态系统退化，特别在城郊结合部以及流域边缘区域。该地区城市的可持续性与主要水相关的挑战密切相关：无法获得安全的水和卫生设施、多种用途水需求及并发污染负荷量增加、加强对洪水和干旱等灾害事件的防御能力。

城市水需求和挑战需要多部门配合及具有包容性和综合性的策略。该地区著名的策略包括城市关联（水—能源—粮食）规划、雨水综合管理和绿色建筑（马来西亚的雨水管理和公路隧道）、水敏感城市设计（澳大利亚）、高效生态水基础设施建设（印度尼西亚和菲律宾）以及城市湿地（印度加尔各答）。在城市水资源恢复方面，加强城郊农业和能源生产的污水利用。越来越多的计划正等待机遇，将水管理融入城市的能源、绿地和粮食安全需求。

供水安全一直主要由政府机构负责，但是，该地区公、私营合作关系良好，如菲律宾马尼拉水务公司、马来西亚雪州供水有限公司（SYABAS）及中国深圳水务集团等与政府的合作。城市水基础设施方面，对未来需求进行融资和管理将是一个相当大的挑战，特别是该地区快速发展的中小城市，其资源和能力都有限。

孟加拉国、印度和菲律宾在近期发生的台风、飓风避难所成功案例、预警系统方面、河道治理（印度尼西亚芝塔龙河整治项目）中战略框架制定以及振兴制度安排方面，都有大量的经验教训需要总结。其中的许多策略不仅需要依靠城市自身努力，也需要来自区域和国家层面的支持和承诺，这就意味着，城市水管理和满足未来水需求这一挑战涉及城市内外利益相关者的协调。

12.3 地下水

对该地区可供水水质和水量进行的所有考虑，都不能忽视地下水，这对于一些经济部门来说，非常关键。专家估计，地下水灌溉每年对亚洲经济的贡献为 100 亿~120 亿美元。如果考虑地下水灌溉费用的收入，估计要增加到 250 亿~300 亿美元（Shah 等，2003）。孟加拉国、中国、印度、尼泊尔及巴基斯坦的地下水用量几乎占全球的一半（IGRAC，2010）。

小农户灌溉项目可以让农户以相对较低的成本使用地下水，在地下水资源丰沛的地区，效果特别好。在印度，地下水革命（或者称之为管井革命）为减贫作出了巨大贡献，但是灌溉需求也给一些地区的地下水资源，如马哈拉施特拉邦和拉贾斯坦邦的南部和东部，带来了极大压力。图 12.1 显示，印度地下水用量增长迅速，其中，机井和管井总数从 1960 年的不到 100 万口增加到 2000 年的 1 900 万口。

在中国，农业地下水应用非常普遍（图 12.2）。南部平原含水层区域，密集灌溉导致地下水水位急剧下降。1960 年后，部分浅层含水层和大部分深

1940—2010年部分国家农业地下水用量增长情况

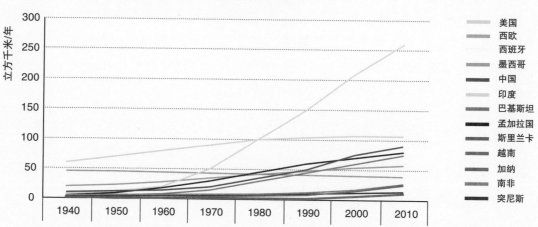

图例：
美国
西欧
西班牙
墨西哥
中国
印度
巴基斯坦
孟加拉国
斯里兰卡
越南
加纳
南非
突尼斯

纵轴：立方千米/年（0、50、100、150、200、250、300）
横轴：1940、1950、1960、1970、1980、1990、2000、2010

资料来源：Shah (2005).数据源于图1"1940—2010年部分国家地下水用量增长情况"。地下水与人权：生计和环境之挑战与机遇，《水、科学与技术》51 (8)：27-37，已经版权持有人许可，IWA出版。

中国的农用地下水（立方千米/年）

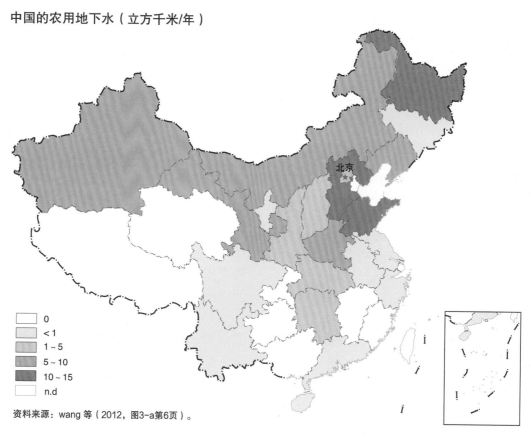

北京

图例：
0
< 1
1 ~ 5
5 ~ 10
10 ~ 15
n.d

资料来源：wang 等（2012，图3-a第6页）。

层含水层地下水位下降超过 40 米（Foster 和 Garduño，2004）。中国水利部对118 个城市的调查表明，97％的地下水源受到污染，64％的城市地下水源饮用水受到严重污染（World Bank，2007b）。

公共供水系统不完善导致地下水开采无节制，造成了严重恶果，目前，加尔各答、达卡、雅加达和上海等沿海城市的地下水供水遭受海水入侵。气候变化导致海平面上升，海水入侵的情况将进一步恶化（IPCC，2014）。地下水开采导致曼谷等众多沿海城市出现地面下陷。

亚洲地下水砷含量分布图

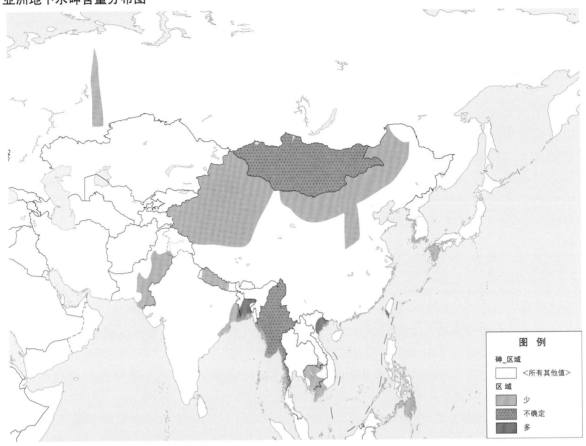

图 12.3

图 例

砷_区域
□ <所有其他值>
区域
　 少
　 不确定
　 多

资料来源：IGRAC (n.d.), http://www.un-igrac.org/publications/148

　　人为污染物和天然污染物影响了地下水水质。该地区含水层中的地下水天然污染物包括砷（图12.3）、氟化物和铁。人类污染物来源于农用肥和农用杀虫剂；采矿业、制革厂和其他行业；垃圾堆及垃圾场；不合格的卫生设施及污水处置。中国（World Bank，2007b）、泰国（World Bank，2007b）以及其他国家和地区存在旱季缺水导致地下水超采的情况。太平洋地区也面临淡水压力（见WWAP，2015，第5章，案例研究"太平洋小岛屿发展中国家淡水安全挑战：萨摩亚海水入侵聚焦"）。例如，在图瓦卢和萨摩亚，由于近年来降水低于常年平均水平、海平面上升导致海水入侵含水层，越来越多的人依赖瓶装水。

　　如果以可持续方式进行管理，地下水可在该地区地表水短缺时充当缓冲器，为可持续发展目标的实现发挥积极作用。然而，如果继续超过可持续限度地使用地下水，那么，作为该地区大多数人口主要经济来源的农业生产将受到威胁。

13 阿拉伯地区

联合国西亚经济社会委员会 | Carol Chouchani Cherfane

水短缺是阻碍阿拉伯地区可持续发展进程的主要水相关挑战。其他挑战包括水资源利用更加可持续、获得更加可靠的用水服务（特别是欠发达国家和遭受直接冲突和间接冲突的国家）以及加强各国及跨国界地区地表水资源和地下水资源的管理。

13.1 水短缺

人口增长和不断增加的社会经济压力使得阿拉伯地区淡水资源可供给量减少。2002 年，人均年可供水量 921 立方米，10 年后下降到 727 立方米；22 个阿拉伯国家中，16 个国家的可供水量降到人均年可供水量 1 000 立方米的缺水线以下，2011 年，人均年获取水量仅为 292 立方米（见图 13.1）。几乎 75% 的阿拉伯人口生活在缺水线下，接近半数人口生活在年人均 500 立方米的严重缺水线下。

气候变化和气候多样化使情况变得愈发糟糕。基于历史资料的气候指数分析结果表明，20 世纪中叶以来，整个阿拉伯地区气温呈持续上升趋势（Donat 等，2014）。目前，干旱影响到联合国西亚经济社会委员会成员国 2/3 以上的陆地区域（UNESCWA，2013a），阿拉伯地区区域气候变化模型系统预测，到 2040 年，气温至少增加 2 摄氏度（Nikulin，2013）。同时，2012 年和 2013 年，罕见骤发洪水损坏、摧毁了科摩罗、加沙地带、阿曼、沙特阿拉伯和突尼斯的基础设施。埃及、约旦、黎巴嫩、摩洛哥、巴勒斯坦、苏丹、突尼斯相继制定并完善了气候变化适应性措施、抗旱策略以及骤发洪水风险图（UNDESA/UNESCWA，2013）。波斯湾次区域实施了地下水人工补给，利用骤发洪水增加蓄水量以及淡水可供水量，应对日益严重的缺水。

图 13.1 2011年阿拉伯地区部分国家可再生水资源人均数量

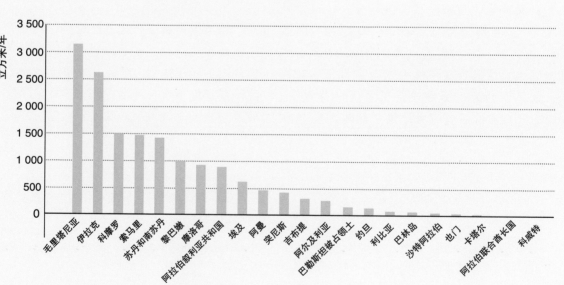

注：2011年统计资料包括苏丹和南苏丹，2011年7月前南苏丹还不是一个国家。
资料来源：UNESCWA，数据来自 FAO AQUASTAT。

13.2 对可持续性的威胁

淡水资源的不可持续消耗和超采也是水短缺原因之一，威胁长期可持续发展。平均而言，农业部门一直是阿拉伯地区最大的用水户，尽管各国消耗水平差异巨大。在过去十年中，农业耗水量仅占吉布提淡水取水量的 16%，但是，索马里的农业耗水量却占整个淡水取水量的 99%（FAO AQUASTAT）。在确保粮食安全、避免对农村生计产生负面影响方面存在的迫切社会和政治需求，促使阿拉伯各国政府和依赖农业的社会群体实施有效灌溉计划、污水再生及集水计划，保护水资源。选择这些计划而非定水价计划，是因为后者可能对弱势群体产生不良的社会经济影响。埃及、约旦、黎巴嫩、摩洛哥、阿曼和突尼斯也在设法改造灌溉渠、梯田和传统管网，提高农业用水效率，尽管许多国家仍以漫灌为主（ICARDA/GEF/IFAD，2013）。同时，大部分阿拉伯国家仍然依赖粮食进口，弥补国内粮食缺口。

尽管该地区一些国家石油天然气储量丰富，海水淡化依然不足以成为可持续选择，除非考虑替代能源。除了几个试点太阳能海水淡化工厂正在试运行外（见专栏 12.2，WWAP，2014），该地区还在对核能进行投资，寻求多种方式实现水和能源的结合。预计，未来 20 年中，阿拉伯国家将有数十个核动力海水淡化工厂投产，2030 年前仅沙特阿拉伯就将建设 16 个核能海水淡化工厂（WNA，2013）。

水务机构面临干旱引起的淡水短缺加重、输水损耗、武装冲突引起的水基础设施及管网损坏和抽水距离更远或者水源更深引起的能源成本增加等问题。这些问题削弱了水务机构以可持续方式为公众提供稳定可靠服务的能力。同时，因为水短缺，限量供水及抽取地下水在埃及、约旦、黎巴嫩、巴勒斯坦和叙利亚已经司空见惯。海湾合作委员会国家相继考虑增加含水层蓄水量，以增加储水量、降低风险（见 WWAP，2015，第 3 章，案例研究"海湾合作委员会国家可持续水资源管理"）。

地区冲突使可持续性受到的威胁更加严重。自冲突开始到 2013 年 10 月，叙利亚供水率平均下降 70%，因设施毁坏，供水率还在继续下降。水、卫生和健康部门合作伙伴为此大费周章，向全国各地

在摩洛哥梅克内斯附近的博卡尼，10 504 个家庭已经接通自来水

照片来源：Arne Hoel/World Bank

运送氯、卫生用品和发电机（UNICEF，2013）。幼发拉底河沿岸的情况岌岌可危，水位下降、水管被毁，叙利亚阿勒波的居民被迫用油罐到未经处理的地表水源取水。约旦和黎巴嫩在册的叙利亚难民超过153万人，而这两个国家原本就因水短缺和干旱面临供水压力❶。阿以冲突期间水基础设施毁坏，迫使巴勒斯坦人用收入中的很大一部分购买水罐车输送的水，并依赖加沙地带不洁水源，这导致水相关疾病流行趋势增加（UN，2013b）。

阿拉伯地区正在努力响应变化及不确定条件下加剧的水短缺、干旱、气候变化及服务不足。

除了民事冲突和军事冲突外，阿拉伯国家对跨国界水资源的依赖让问题更加复杂。阿拉伯国家中66％以上的淡水资源发源于国界外（阿拉伯水理事会，2012），使得下游阿拉伯国家易受上游开发的影响，例如，埃塞俄比亚青尼罗河复兴大坝、底格里斯和幼发拉底河沿线的土耳其大坝的建设。阿拉伯地区西亚部分的大型含水层系统，从伊拉克延伸至也门，其地下水储量远远超过这一区域所有河流的总径流量（UNESCWA/BGR，2013）。然而，涉及阿拉伯国家的地表水协议或者地下水协议数量非常有限，且那些为数不多的协议还是双边性质而非流域层次的。

13.3　进展与展望

面对这些挑战，阿拉伯国家的法律政策开始重点关注水资源和可持续发展。例如，阿拉伯部长级水理事会2012年批准了区域可持续发展水安全策略，2014年批准了该策略的行动计划。在国家层面上，《突尼斯新宪法》（2014年通过）确立了水人权和水资源保护，并确立合理使用水资源是国家和社会的义务（National Constituent Assembly of Tunisia，2014）。摩洛哥和阿尔及利亚也颁布了有关用水和卫生的法律规定（OHCHR，2010）。

根据WHO和UNICEF供水和卫生联合监测项目，2011年阿拉伯总人口估计为3.55亿，其中大约17％（6 000万）人口无法使用改善的饮用水水源，20％（7 100万）人口无法使用改善的卫生设施（UNESCWA，2013b；WHO and UNICEF，2013）。即阿拉伯地区83％的人口使用的饮用水水源已经得到改善。然而，这并不意味着用户可以获得正常或者可靠的供水，也不意味着供水质量适于安全饮用（见专栏1.1）。在阿拉伯部长级水理事会的支持下，阿拉伯区域千年发展目标计划正在对获取供水和卫生设施质量和数量的监测和报告活动加以改进。

随着突尼斯和巴勒斯坦最佳实践的交流，该地区集水和再利用的范围正在扩大❷，约旦利用经处理污水进行灌溉的范围在扩大；阿曼每天向沿海含水层回灌经处理的污水，防止海水入侵、增加储水量（Zekri等，2014）。埃及利用骤发洪水补给红海沿岸的地下水。建设大坝及其他基础设施进行地下水人工补给，在波斯湾和马什里克次区域也很普遍。大部分阿拉伯国家的绿色服务台和清洁生产中心正在推动用水效率的提高。阿尔及利亚、利比亚和突尼斯就西北撒哈拉含水层系统❸以及塞内加尔河等共有河流的跨国界地下水合作机制正在继续推进。尽管如此，依然有必要开展合作、加强治水，并改进跨国界地表水和地下水资源管理。国际组织、区域组织以及各国部委正在对数据库、监测体系和评估工具进行升级开发，为规划和决策提供支撑。

阿拉伯地区正在努力应对变化及不确定条件下加剧的水短缺、干旱、气候变化及服务不足。为此，需要综合性、包容性更强的水资源管理方法。在水短缺加剧的情况下，保障水安全需要各部门协调应对，将供水和卫生列为人权是阿拉伯地区实现可持续发展的关键。

---

❶　统计结果基于联合国难民事务高级专员公署（UNHCR）在 Majdalani（2014）提供的截止于2014年3月6日的数据。

❷　突尼斯和巴勒斯坦谅解备忘录，2012。

❸　撒哈拉和萨赫勒（OSS）气象台提供技术支持。

拉丁美洲和加勒比地区

联合国拉丁美洲和加勒比经济委员会 | 作者：Andrei Jouravlev

共同撰稿人：Caridad Canales；

评论与贡献者：Terence Lee，Miguel Solanes 和 Juan Pablo Bohoslavsky

拉丁美洲和加勒比地区的水文特性和经济结构差异明显。在过去的十年中，减贫进展明显，经济高速增长，宏观经济高度稳定，中产阶层开始兴起（UNECLAC，2013a 和 2013b）。然而，该地区却是全球最不平等的地区，其人均 GDP 一直赶不上发达国家，超过 1.6 亿的人口（约占人口的 28%）依然生活在贫困之中。

国家政策重心主要放在经济发展和减贫上。大部分经济主要依赖自然资源的出口，其生产过程消耗大量水资源。这样的情况给水资源管理带来了压力，主要原因有两个。第一，经济活动和人口往往集中在干旱和半湿润地区。这就导致用水量竞争加剧，而近期在这一稀缺资源的质量和使用机会方面的竞争也在加剧。人口增长和经济发展导致用水需求增大，气候变化导致许多流域干旱情况和水文变异程度加剧，两者产生的综合负面影响将使上述情况在未来更加严重（IPCC，2008）。第二，经济增长和收入水平提高加大了公共服务和环境设施的需求。遗憾的是，近几十年来，经济基础设施方面的投入却在减少。随着收入和民主化程度的提高，人们

玻利维亚的的喀喀湖太阳岛

照片来源：Benjamin Dumas

更加重视环境保护、公众参与决策和原住民社区权利保护。这些水资源管理压力凸显了两个重要的、各国未来几十年不得不解决的水有关问题，①加强水治理；②改进饮用水供给和提供卫生设施。

14.1 治水

对于拉丁美洲和加勒比地区，首要的问题就是改进和加强治水，治理方式向可持续的水资源综合管理转变并与社会经济发展和减贫结合起来。考虑到该地区水资源相对丰沛，因此，"水危机"更多地与制度而非自然供水量有关（UNECLAC，2001）。许多国家管理水资源的正式机制的建立极其有限，现有管理措施的有效执行也未进入重要政治议程。常见问题包括公共管理效率低下，管理不正式情况普遍，管理制度薄弱，公众参与、协调、透明度、信誉以及问责水平低下，融资不稳定且不足，腐败与豪夺，水立法零散且过时，技术能力缺乏，执行机构和服务提供商政治化且治理软弱，信息不足等。在解决水分配（且越来越多的是再分配）和污染控制问题方面，制定有效、正式且稳定制度的能力普遍薄弱，这已经在很多管理不善、管理不正规以及缺乏协调的案例中得到证实（WWAP，2012）。

这些治理上的缺陷体现为不可持续的、非正式的用水措施，水污染，特别是在人口密集的城市区域及其下游，尤其体现为与大部分大型基础设施和自然资源开发项目有关的冲突大量增加（Martín 和 Justo，2014）。两大利益方之间，尤其会出现这样的冲突，一方为矿业和水电等巨大商业利益，另一方为环保利益，河道水利用，地方、传统的及原住民用户（通常缺乏应有的正式水权）。很多这样的冲突都与外资参与项目有关，而这些项目通常涵盖于国际投资协议中。该地区以及世界其他地区的各种案例（Solanes 和 Jouravlev，2007；Bohoslavsky，2010；UNCTAD，2014）表明，国际投资者保护能够制约公共政策空间，推动水及其他自然资源的合理管理、规范公共事业服务，对于治理能力薄弱的国家尤其如此。最后，有必要加强治理，确保实现两方面之间的平衡，一方面要努力吸引外资、确保商业环境稳定，另一方面要实现社会经济发展、减贫、环境可持续性和保护重要公共利益目标。

> **考虑到该地区水资源相对丰沛，因此，'水危机'更多地与制度而非自然供水量有关。**

要改变这种状况，各国政府必须落实并全面实施以下几点：①充分适应水资源利用问题性质、与社会观念和实践相协调的水管理机构；②水管理措施（水权与排放许可、评估、规划、水质规范、需求管理、冲突解决和规章等）逐渐采用收费、效益成本、市场和社会评估等经济手段；③受流域组织支持、权利和资源与职责相称的独立水务机构；④水分配（且尤其是再分配）制度能推动水资源开发和保护投入，确保有效、有序的用水，避免垄断并有助于公共利益；⑤水污染控制制度能调动必要的技术和资金资源（Solanes 和 Jouravlev，2006）。

14.2 饮用水供应与卫生

拉丁美洲和加勒比地区面临的第二大问题是，巩固发展在饮用水供应和卫生设施提供方面取得的成效，确保全面实现水和卫生人权（Justo，2013），制定 2015 年后发展议程。该地区水和卫生设施的供应水平，除污水处理可能例外，毫不逊色于其他发展中国家（Jouravlev，2004；Sato 等，2013；WHO 和 UNICEF，2014b）。然而，这样的总体估计往往夸大了获得服务的真实水平，也没有考虑居民对管道供水的偏爱，特别是服务质量存在严重欠缺（服务时断时续、水损耗和水质控制等），这些问题对农村地区和穷人影响极大（Jouravlev，2011）。雨水排水基础设施不足、城市规划存在缺陷，许多城市仍然遭受洪水困扰。

各国政府必须大力实现服务的全面覆盖，重点是连接到户、改进服务质量、提高可持续性，许多国家可能需要 10～20 年时间实现这一目标，而扩大污水处理和雨水排水系统范围差不多也需要相同的时间。随着污水处理（及再利用）范围扩大，必须重点关注先进处理技术（三级养分去除）、污泥处理、固体废物管理、工业及面源（特别是农业面源）污染控制。

各国政府制定公共政策时必须重点关注以下方面以推进这些目标的实现（Hantke-Domas 和 Jouravlev，2011）：①在财政拨款和制定稳定有效的制度上，提高这些服务的政治优先等级；②利用激励资源利用效率的关税设计，逐渐向自筹资金过渡，同时为低收入群体建立有效的补贴制度；③强化产业结构的合并或整合，利用规模经济，确保服务提供商的技术、财务可行性；④有效的经济调节，重点在于信息获取、统一会计、标杆管理和消费者参与；⑤调整监管措施和进行公用事业产权结构治理，使其更加透明并更加响应监管激励措施；⑥经济调节和水及土地管理政策进一步融合，确保服务提供的环境可持续性。

15.1 概述

由于过去 10 年非洲经济复苏，各国政府执政能力提高，从 20 世纪 90 年代中期开始，一些实力国家逐渐出现，非洲各国的政策焦点正在从寻求政治独立转向取得经济独立。其最基本的目的是持续积极地参与全球经济，同时确保非洲丰富的自然资源在可持续的使用管理之下，公平地满足现在以及未来非洲人民的需求。

对于非洲来说，实现自然与人力资源可持续发展面临最主要的挑战是如何才能避免重复其他国家在发展过程中走过的弯路，同时从其他国家的经历中汲取经验教训，例如通过保持清洁工业发展的政策利好、减少排污及水源污染，促进可持续发展。

目前许多非洲经济体发展速度甚至超越了过去 40 年，全球发展最快的 10 个国家（依据 GDP 数据）有 6 个来自非洲撒哈拉以南地区：年增长率分别为安哥拉 11.1%，尼日利亚 8.9%，埃塞俄比亚 8.4%，乍得 7.9%，莫桑比克 7.9%，卢旺达 7.6%；其余数个国家的年增长率也维持在 7% 左右，预计在 10 年内经济总量将翻一番；2012 年，塞拉利昂以 17.2% 的 GDP 年增长率居于榜首（ACTE，2014）。

但从可持续发展的角度，我们需要非常谨慎地看待这些数据，因为这些国家经济的飞速发展并没有带来大面积有效的经济结构改变，其基础依然只是农业及矿业原料的出口，再加工并未得到有效发展，同时还进一步导致社会经济的不均衡。

可持续发展的概念，对于非洲而言，可能比世界上其他区域更重要。

许多非洲经济体的基础依然是农业（见专栏 15.1），对降水等依赖性非常高，而该地区的降水却不稳定，而且难以预测。及时、足量的水资源供给是保障农业生产的重要因素。世界上其他国家的中产阶级不断发展壮大，新生儿出生率不断下降，劳动力甚至整个人口群体更新能力不足，非洲却面临完全不一样的问题：非洲人口正迅速增长。人口增长给非洲的全面及可持续发展提供了机遇，但新增人口的食物供给、教育、卫生医疗以及组织生产仍然是非常艰巨的任务，因此，只有做好粮食生产、卫生医疗以及能源开发的用水保障，才能确保非洲的可持续发展。非洲在这一方面，特别是在城市地区，朝着联合国千年发展目标改善饮用水质量上取得了重要的进步，但在农村地区，进步还非常不明显，特别是在卫生用水方面。

在最高决策层方面，非洲联盟（AU）在众多的高层会议宣言中确定了水资源的重要作用（AU，2004 和 2008；AMCOW，2008），并以《2025 年非洲水愿景》作为水资源管理最基本的决策依据，以保证非洲的可持续发展。非洲的共同愿景是"在非洲实施公平的、可持续的水资源分配及管理，以改善贫困、加速社会经济发展、促进地区合作、保护生态环境"（UNECA，2000）。作为决策依据，《2025 年非洲水愿景》确定了非洲水资源开发面临的主要挑战。

15.2 非洲可持续发展面临的主要水挑战

非洲联盟（AU）的沙姆沙伊赫宣言指出，非洲可持续发展面临的主要的水挑战包括（AU，2014）：

（1）促进经济发展的水基础设施；

（2）水资源管理及保护；

（3）实现联合国千年发展目标中的供水及卫生目标；

（4）非洲应对全球变化及风险管理措施；

（5）水行政及管理；

（6）水资源及卫生行业融资；

（7）水教育推广、知识普及、能力建设及水信息建设。

科菲·安南对非洲蓝色和绿色革命的论述

"如果我们要加速非洲的转型，必须显著提高农业及渔业的发展速度，因为这两者大约为2/3的非洲人提供了生计……非洲进行蓝色和绿色革命的时刻已经到来。这两项革命将改善我们非洲大陆的面貌。除了提供宝贵的就业机会及其他机遇，这些革命还将为非洲提供亟须的粮食安全和营养供给。"

资料来源：Africa Progress Panel (2014, p. 11)。

非洲的水—粮食—能源纽带关系

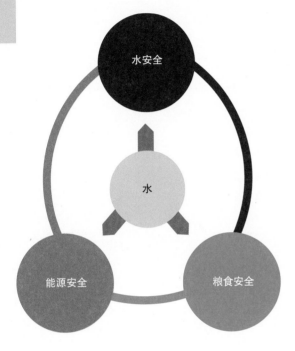

储备有一定数量和质量的水资源用于卫生、生活、生态及生产，同时对人口、环境及经济产生影响的水灾害风险应在可接受范围之内（Grey和Sadoff, 2007）。

粮食安全：所有人在任何时候都能够获得充足的、安全的、有营养的食物以维系健康积极的生活（WHO, n.d.）。

能源安全：持续可靠的（能源）供给，价格合理，同时充分考虑环境问题（IEA, 2011）。

资料来源：Wouters（2011）。

但对于非洲来说，最为重要的还是水、粮食和能源之间这一具有关键意义的纽带关系（见图 15.1）。提升可用水资源量、改善和优化用水条件将扭转目前非洲水资源管理方面存在的恶性循环，促进绿色（及蓝色）增长。目前已开发的水资源仅占非洲水资源储量的 5%，人均 200 立方米，而北美的这一数据为

6 000立方米。非洲仅有 5% 的耕地得到灌溉，目前仅开发了 10% 的水能储备用于发电（Sperling 和 Bahri, 2014）。与之相对的是仅有 57% 的人口目前能够享受现代能源服务（主要是电力），而随着这一地区大部分主要城市的不断扩大，这些服务的可靠性也面临极大的挑战（IEA, 2013）。2012 年，距离联合国千年发展目标设定的年限仅剩 3 年，36% 人口的用水条件仍然没有得到改善，70% 人口的卫生条件仍然不容乐观（WHO 和 UNICEF, 2014b）。

除了这些情况，气候变化也可能阻碍非洲水资源管理进步的步伐。由于跨境水资源管理的复杂性（非洲有 80 余个跨境流域及含水层），非洲亟须建立区域性合作机制，从而能够对水资源进行统一有效、公平合理的管理，以满足地区、国家、行业发展的目标和需求。

非洲全面发展的软肋依然是农业。农业的低产导致数以百万计的农民陷入贫困，同时减缓非洲经济增长，弱化非洲农业经济与非农经济之间的联系。非洲农业的潜力巨大，如果充分发挥，足以满足日益迅速增长的城市人口，甚至可以有足够的产出用于出口。然而目前的情况是，这一地区对粮食进口的依赖程度正越来越高。2011 年，非洲各国进口粮食的花费高达 350 亿美元（不含鱼类），但非洲国家之间的交易额不足其中的 5%（Africa Progress Panel，2014）。如果非洲农业产量提高，用当地生产的粮食替代进口粮食，不仅会极大地促进脱贫进程，提升粮食和营养保障，还会使得非洲经济朝着全面发展的方向更进一步。要发挥这种潜力，非洲必须加强基础设施建设，提升开发利用能力，依靠丰富的水资源，保障灌溉、发电、家庭用水，壮大传统出口商品增值行业。由于非洲的水资源大多跨境分布，所以要加强水利基础设施建设，必须进一步促进地区一体化进程，加强区域合作。同时非洲各国还必须进行思维模式转变，从仅注重国家之间的贸易往来，转向加强非洲地区一体化进

程，共同开展资源（包括水资源）规划及开发。

15.3 任重道远

尽管面临各种挑战，非洲国家在开发水资源、促进社会经济发展方面已取得可喜的进步。未来发展的重点是在实现经济增长的同时保持可持续、全方位的发展。对于这一点，《非洲发展报告》（The African Progress Report）如是评述（Africa Progress Panel, 2014, p. 14）：

非洲目前处于一个十字路口。经济增长已经在这片土地生根发芽，出口贸易蓬勃发展，外资数量不断增长，对外来援助的依赖程度逐渐降低，政府不断转型改善了整体政治环境，民主、透明及问责制赋予了非洲民众更多参与制定关乎他们切身利益的政策的权利，这些进步都令人鼓舞，但在减少贫困、改善民生、促进全面可持续发展方面取得的进步还不是非常明显。非洲各国政府在将经济增长转化方面还显得力不从心，无法使人人都能享受经济增长带来的发展机遇，建设美好未来。实现全面发展、促进社会公平是目前各国亟须考虑的问题。

在非洲开发银行（AfDB）的倡导下，非洲各国计划增加农业用水投入，特别是对水储备及管理方面，以解决种植季节降雨稀少、变化莫测的问题，同时还将就地开展雨水管理、径流利用及湿地的种植用水管理等；同时增加的还有畜牧业、渔业、农村能源等方面的投入（AfDB, 2010）。

要实现这一计划，在水资源开发上进行区域性合作，特别是跨境合作，在未来的几十年内具有重要意义。基于增加灌溉面积的农业生产转型、跨境水电开发及联合电网分配、加倍努力实现《2025年非洲水愿景》各项规划及目标非常重要。实现可持续发展、保障非洲能源及粮食安全的新办法层出不穷，包括区域间水电开发使用，如大英加水电项目、大规模农业贷款投资等。专栏15.2及专栏15.3对这

白尼罗河（Morada）上的渔民，喀土穆（苏丹）
照片来源：Ame Hoel/World Bank

大英加项目（The Grand Inga Project）

大英加项目位于非洲最大的河流刚果河之上，水能蕴藏量为 4 万兆瓦，可能可以成为解决非洲地区能源需求问题的方法之一。下表是目前的水电蕴藏量、实际发电量、人均消耗量及 2015 年预计需求量。大英加项目一旦投入使用，将产生大量的电能，并通过联合电网分配满足所有地区的能源需求，表下的地图显示了其中一种分配方式。水是一种可再生能源，大英加项目主要依靠水来产生电能，可以促进地区一体化，真正成为地区性项目。

非洲的能源现状

区域	水电蕴藏含量 /(GW·h)	百分比 / %	发电量 /(GW·h)	百分比 / %	人均消耗量 /(kW·h)/(人·月)	2015年预计需求量	百分比 / %
北非	41 000	3.7	133 830	33.2	740	209 296	36.8
西非	100 970	9.2	38 033	9.4	143	50 546	8.9
中非	653 361	57.7	10 537	2.6	148	13 052	2.3
南非	151 535	13.8	208 458	51.7	1617	279 409	49
东非	171 500	15.6	12 281	3.1	68	12 281	3
合计	**1 118 366**	**100**	**403 139**	**100**			

大英加项目电力输送潜在分布区

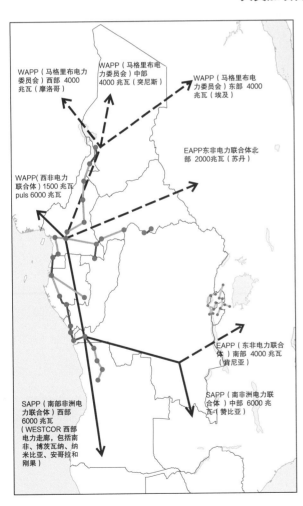

2020—2030年开发目标

方案 1A — 直流电500千伏，南北海岸沿线400千伏交流电

—— 跨区域项目（500千伏直流电）

- - - 跨区域项目（500千瓦千伏直流电）（2030年）

—— 地区项目 220 / 400千伏交流电

- - - 地区项目 400千伏交流电（2025年后）

—— 刚果（金）—卢旺达—布隆迪—坦桑尼亚项目110 / 220 千伏交流电

—— 地区项目（220 / 400千伏交流电）

资料来源：ECCAS（2010）。

大规模农业贷款投资

一项由非洲水利部长理事会（AMCOW）资助、国际水资源管理研究所（IWMI）承担的项目评估了许多非洲国家大规模农业贷款投资（LSALI）的影响程度及普及率（IWMI，2014）。支持 LSALI 者认为，经过 50 年的不懈努力，传统低产出的农业耕作方式正在慢慢转变，大规模私营经济行业投入，主要作为吸引外国直接投资（FDI）的方式之一，可以帮助引入必要的农业技术，全面提升非洲农业产量。

2000—2012年撒哈拉以南耕地面积超过10万公顷、进行大规模农业贷款投资的非洲国家

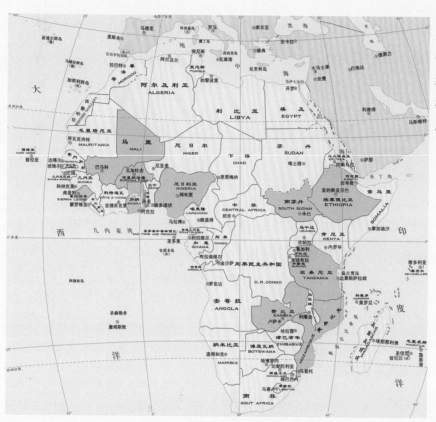

这些大规模农业投资在非洲非常普遍，许多都针对灌溉农业，产出的农作物、牲畜及生物燃料既用于当地消费，也用于出口。

资料来源：IWMI（2014），IWMI对研究过程中得到联合国粮农组织（FAO）、全球资源信息数据库（GRID-Arendal）及联合国环境规划署（UNEP）的支持表示感谢。

2000—2012年部分撒哈拉以南进行大规模农业贷款投资国家的农业生产活动

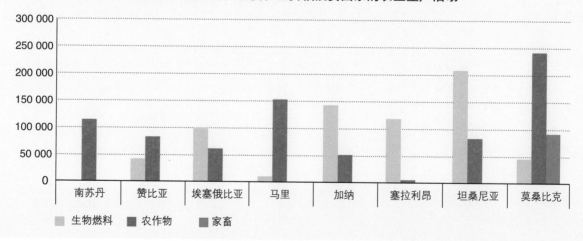

些新办法进行了介绍。这些办法将使得非洲的水—粮食—能源纽带关系形成良性循环，同时还将促进现代农业技术的跳跃式快速普及，增加产出。随着非洲的快速城市化和工业化，这些方法将是满足日益增长的粮食及能源需求的重要途径。

在非洲开发银行（AfDB）的牵头下，非洲国家希望能在农业方面进一步开展用水干预，重点进行水资源储备及管理，以克服耕种季节降雨不规律、降雨不足的问题，加强实时的雨水管理、雨水收集利用、径流收集利用、湿地作物种植等。另外还需进行用水干预的方面包括畜牧业、渔业、农村能源等（AfDB，2010）。

为了实现这一目标，非洲水资源开发领域的区域性合作，特别是跨境合作，在未来十年是非常重要的。为实现 2025 年非洲水愿景（Africa Water Vision，2025）的目标，非洲国家正加倍努力大力推广灌溉增加耕种土地面积，通过联合电网来分配跨境水力发电，因而农业生产方式转变将变得极其重要。

为满足非洲能源和粮食安全需求，保持非洲的可持续发展，新的方式方法也不断出现，包括跨区域水力发电及其使用，如大英加水电项目和大规模农业贷款投资等。这两个项目使非洲的水—粮食—能源纽带关系呈良性循环，进一步促进非洲的可持续发展，还将促进现代农业技术推广运用的蛙跳式发展，提高粮食产量。专栏 15.2 及专栏 15.3 简单介绍了这两个项目。随着非洲的城市化和工业化发展，粮食和能源需求也日益增长，而这些新的方式和方法对满足这些需求具有重要意义。

第 4 部分
对策及实施

章节

16. "我们希望的未来"实施框架

2008 年"洁净印度"摄影比赛鼓励奖作品
照片来源：迪内希·钱德拉

水在发展中起着至关重要的作用。对于本报告中提到的各种发展问题，认识到水的重要作用只是实现可持续发展的第一步，更重要的是采取果断和有效的行动。

本章报告针对可能出现的问题，提供了一个包括对策、解决方案和实施办法等的行动路线图以供参考。需要说明的是，全球不同地区所面临挑战的性质和范围不尽相同，有关区域、国家、流域或社区的利益相关者和决策者可以根据实际情况选择最合适的行动路线，只有切实有效地落实这些行动方案，才能确保可持续的水资源管理并以此支持社会经济和环境的可持续发展。

"我们希望的未来"实施框架

联合国开发计划署 | Joakim Harlin, Marianne Kjellén and Håkan Tropp

世界水评价计划 | Richard Connor, Joana Talafré, Karine Peloffy, Erum Hasan 和 Marie-Claire Dumont

16

16.1 可持续发展的三个方面与水的关系

2012 年联合国可持续发展大会（Rio＋20）的成果性文件"我们希望的未来"中明确指出"水是可持续发展的核心"，也是社会、经济和环境可持续发展三个方面的核心（Assevero 和 Chitre，2012）。水是全球的命脉，对社会经济发展具有至关重要的意义。

在社会方面，安全而有保障的供水与健康息息相关，除了确保饮水安全外，还可以改善家庭、城市和国家的卫生健康和环境卫生状况（参见第 5 章）。同时，安全而有保障的供水对于解决贫困与落后问题也至关重要（参见第 2 章），其直接影响是饮水安全以及卫生健康，间接影响是大多数的经济生产活动也都需要用水（参见第 3 章）。

在经济方面，如果饮水安全和卫生健康的问题得以解决，将对人力资本及其增长产生持久性影响。最新评估指出，从全球来看，普及卫生设施的益本比是 5.5：1，而普及饮用水的益本比预计会达到 2：1（WHO，2012b）。

可持续的水资源管理和水利设施建设可以大大提高农业和食品行业的生产率（参见第 7 章）。在许多发展中国家，农产品的生产和消费就占到取水总量的 70%，因此提高用水效率也非常重要（UNDESA，2013b）。除第一产业之外，水对于能源、采矿和旅游业等其他经济活动也都很重要。水资源的短缺有可能阻碍电力行业的发展，特别是在电力需求快速增长的亚洲、非洲南部和中东地区（WWAP，2014）。

在过去 10 年中，与水有关的灾害显著增加并造成了重大经济损失。自 1992 年里约地球峰会以来，全球的洪水、干旱和暴雨灾害共导致 42 亿人口受灾（占全部受灾人数的 95%）并造成了 1.3 万亿美元的损失（占全部损失的 63%）（UNISDR，

2012）。

水和可持续发展的环境效益主要是健康生态系统的作用，其功能包括洪水调控、地下水回灌、河岸稳定和侵蚀防护、水体净化、生物多样性保护以及发展交通运输、休闲和旅游业等，可以产生巨大的社会效益（MEA，2005b）（见第 4 章）。一些影响因素，比如污染物、物种入侵、土地使用和气候变化等不但会对水质和水量造成影响，还会影响到生态系统的自我调节能力以及其他生态功能。因此，要维持生态系统的完整性，必须消除或减少这些影响因素。

16.2 2015 年后的发展议程

16.2.1 联合国千年发展目标终期盘点：成就与教训

2000 年 9 月，来自世界各国的 189 位领导人共同签署了"联合国千年宣言"，并提出了八项《联合国千年发展目标》。这是发达国家和发展中国家第一次达成全球性协议，共同承担起消除贫困及其根源这一责任。尽管只有"目标 7"下的 7A 和 7C 两个目标明确和水有关，但是几乎所有千年发展目标都需要水作为支撑（专栏 16.1）。

联合国千年发展目标成功整合了公众、私有和政治领域的支持，以开展全球减贫工作。千年发展目标框架设定了一些有限而具体的发展目标和指标，可以有效帮助国家发展计划和国际发展计划确定优先领域。具体到水，千年发展目标进一步协调推动了全球改善饮水安全和卫生设施的工作。

然而，千年发展目标并非是由广泛的、各个国家层面的利益相关者共同协商制定的，也存在以出资方为导向或选题不平衡等质疑。例如，在可持续水资源管理（地表水和地下水）、水质、水污染、废水处理和生态系统功能维护方面，并未设定具体的指标。另外也没有包括与水有关的性别问题和卫生问题以及涉水灾害等问题。

千年发展目标 7：确保环境的可持续性

- 目标 7.A：将可持续发展原则纳入国家政策和计划，扭转环境资源的流失
  —指标 7.4：全部水资源的利用率
- 目标 7.C：到 2015 年将无法持续获得安全饮用水和基本卫生设施的人口比例减半
  —指标 7.7：使用改善饮用水源的人口比例
  —指标 7.8：使用改善卫生设施的人口比例

资料来源：联合国大会（2001）。

直接而简单量化的方法非常有效，但是难以反映个体的不同情况。千年发展目标实施效果的统计方法会掩盖区域间和各国内部的巨大差异。统计产生的聚合数据也无法展示城乡、贫富、男女和大小国家之间的不平衡。

千年发展目标的另一个问题是代用指标。例如，实现"安全饮用水"目标所设定的代用指标是"改善的饮用水"（专栏 1.1），对于饮用水的质量要求及可靠性等方面则没有说明。另外，千年发展目标的局限性也没能促使发展中国家，特别是那些面临气候变化、粮食危机和快速城市化等新兴挑战的

国家，更加重视政府管理的问题，如体制改革、社会福利体系建设、鼓励公众参与等（UN，2012）。

尽管还存在一些不足，但是千年发展目标确实推动了并促使全球共同关注缺乏安全饮用水和卫生设施的问题。前期的工作还反映出在机制建设方面存在的一些问题，如缺乏执行能力、利益相关者参与不足和政府部门职责不清等（UN，2013c）。尽管是以"改善的饮用水"作为代用指标，千年发展目标中关于实现"安全饮用水"目标已经取得了巨大的成就。这也说明由国际社会共同确定的发展目标和指标，经过持续努力、资源投入和有效实施，可以产生实质性的变革

老挝乌多姆赛省 Had Ane 小学的学生们通过学习懂得了正确洗手和饮水安全的重要性

照片来源：Bart Verweij/World Bank

(UN，2013c)。目前，千年发展目标即将期满结束，其经验表明，除了供水和卫生问题之外，制定一个更广泛、更详细、更具体的水问题实施框架对于确定2015年后发展议程非常重要。

16.2.2 制定专门的2015年后水发展目标的必要性

千年发展目标的工作重点是发展中国家，而2015年后的可持续发展目标（SDGS）则涵盖全球所有国家。这对于水行业尤其重要，因为发达国家的供水和废水处理设施在过去几十年里也已经逐步衰退（ASCE，2011），发达国家的一些弱势群体也存在水、卫生和健康的问题（Government of Canada，2014）。

在新的2015年后发展议程中，需要进一步突出水对于人类发展、环境和经济的重要性。2014年，联合国水计划（UN-Water）提出专门针对水的可持续发展目标，包括以下五个目标领域：①水、卫生和健康；②水资源；③治水；④水质和废水处理；⑤与水相关的灾害。实施专门的水发展目标所创造的社会、经济、财政和其他效益将大大超过其投入的成本（UN-Water，2014）并将延伸至水以外的领域（正如大家通常所知道的）（专栏16.2）。健康、教育、农业和粮食生产、能源、工业和其他社会和经济活动都依赖有效的水资源管理、水资源保护以及安全供水和卫生设施。对于水相关危害可能造成的危险也需要采取相应保护措施。

专栏 16.2 **联合国水计划提议的专门性水可持续发展目标的预期成果**

健康的人民		普及安全饮用水、公共与环境卫生设施，改善水质，提升服务标准
生活富裕		对水资源进行可持续利用与开发，提高并分享效益
公平社会	实现途径	完善制度和管理体系，实现有力高效的治水
保护生态系统		改善水质和废水管理，并考虑环境容量
适应性强的社区		减少与水相关的灾害风险，保护弱势群体，将经济损失降到最低

资料来源：联合国水机制（2014）。

联合国水计划对制定水的可持续发展目标提出了技术建议，这为联合国大会开放工作小组（OWG）关于可持续发展目标的讨论提供了依据。2014年9月，联合国大会决议通过了开放工作小组关于可持续发展目标的最终报告，报告包含17个目标，其中一个是专门的水发展目标。联合国大会决定，开放工作小组提议的可持续发展目标报告"将作为2015年后发展议程中可持续发展目标的主要依据，另外联合国大会第69次会议政府间磋商过程中所提出的建议也将一并考虑"（UNGA，2014）。联合国水计划关于水的各个方面的提议均被纳入联合国开放工作小组的最终报告（专栏16.3）。水不仅仅是一个交叉性问题，除非水的基础性作用得到认可，水资源及其影响得到正确评估，与水有关的重大挑战得到关注，新发展议程的其他许多关键目标都将无法实现（UN-Water，2014）。不论2015年后发展议程最终内容如何，水和水利设施建设都将是实现可持续发展、扶贫和人类福祉的重要支柱之一。因此，水问题以及水与可持续发展之间的紧密联系迫切需要一代又一代人的

关注和行动，无论2015年后发展议程中是否设定专门针对水的可持续发展目标。

16.3 实现"我们希望的未来"

我们认为可持续发展是实现全球社会共同进步的正确途径。但我们也面临着许多问题，比如，如何实现这样一个宏伟却又有些模糊的目标？如何平衡不同的社会利益？什么样的或谁的要求应当优先考虑？如何做出权衡取舍？联合国秘书长潘基文在谈到可持续发展和水问题上的两难困境时指出："我们大家仍然拥有足够的水，前提是我们能够认真保护、有效利用和公平分配我们的水资源"（Planet Under Pressure，2012）。

水资源管理和涉水政策对于应对21世纪面临的发展挑战至关重要，这些挑战包括城市化、可持续的工业发展和经济增长、消除持续贫困、保障粮食安全、应对新的消费模式和保护濒危的生态系统。所有行业对水的需求都在增加，特别是发展中国家和新兴经济体的能源、制造业和农业领域（OECD，2012a）。矛盾之处在于，水是发展的必要

条件，但同时发展和经济增长会增加水资源压力并对人类和自然的水安全构成挑战。至于具体需要多少水才能满足粮食、能源和其他人类使用的需求并维持生态系统，还存在较多不确定因素（参见1.4.4节）。而气候变化对可利用水资源的影响，更进一步加大了这一不确定性（参见第10章）。

专栏 16.3

开放工作小组"可持续发展目标最终报告"中与水和卫生设施有关的内容

简介

第七段　2012年联合国可持续发展大会（Rio＋20）的会议成果重申，必须以联合国宪章的目标和原则为指导，并充分尊重相关国际法及其准则。成果中再次强调了下列理念的重要性，包括自由、和平与安全、尊重人权（其中包括发展权和生存权，包含水与食物权）、法治、政治、性别平等、妇女权益以及建立公正民主社会共同发展的承诺。

提议目标 1. 消除世界各地所有形式的贫困

1.5　到2030年，提高贫困人口和弱势群体的抵御能力，减少他们遭受极端气候事件和其他经济、社会、环境灾害的可能性和脆弱性。

提议目标 3. 确保健康的生活，增进所有年龄段人群的福祉

3.3　到2030年，消除艾滋、肺结核、疟疾和被忽视的热带病等流行病，并防治肝炎、水源性疾病和其他传染病。

3.9　到2030年，大幅减少危险化学品、空气污染、水污染和土壤污染造成的死亡人数和患病人数。

提议目标 6. 确保水和卫生设施的普及和可持续性

6.1　到2030年，使所有人都可以公平获得安全、平价的饮用水。

6.2　到2030年，使所有人都可以公平获得充足的卫生和清洁设施，消除随地排便现象，并对妇女、女孩和弱势群体的需求给以特殊关注。

6.3　到2030年，通过减少污染物、制止倾倒垃圾并严格控制危险化学物品的排放进一步提高水质，将未经处理排放的污水总量减半，将全球循环用水和回用水的利用率提高 $x\%$。

6.4　到2030年，通过切实提高各行业用水效率，以及可持续的取水和供水来应对缺水问题，并切实减少缺水人口数量。

6.5　到2030年，各层次落实水资源的综合管理，必要时开展跨界河流的合作。

6.6　到2020年，保护并恢复与水有关的生态系统，包括山脉、森林、湿地、河流、地下蓄水层和湖泊。

6.a　到2030年，为发展中国家提供国际合作和能力建设以开展水和卫生相关活动和计划，包括雨水收集、海水淡化、节水技术、废水处理、循环用水和再利用等方面。

6.b　支持并加强当地社区的参与，改善水和卫生的管理。

提议目标 11. 建设包容、安全、适应和可持续发展的城镇

11.5　到2030年，大幅减少因灾害（包括与水有关的灾害）造成的死亡人数和受影响人数，重点保护贫困与弱势人群，并将GDP相关经济损失减少 $y\%$。

提议目标 12. 确保消耗与生产模式的可持续性

12.4　到2020年，根据已签订的国际框架协议，对化学品和废弃物的全过程管理更加环保，大幅减少向空气、水和土壤中的排放，将其对人类健康和环境的不利影响降至最低。

提议目标 15. 保护、恢复、促进陆地生态系统的可持续利用，对森林进行可持续管理，遏制沙漠化，阻止并逆转土地退化，阻止生物多样性的减少。

15.1　到2020年，确保对陆地和内陆淡水生态系统及其功能的保护、恢复和可持续利用，对于某些特殊的森林、湿地、山脉和旱地，按照有关国际协议执行。

15.8　到2020年，采取措施阻止外来入侵物种进入土地和水生态系统，减少其造成的影响，避免控制或消灭优先物种。

资料来源：联合国大会（2014）。

令人遗憾的是，水的管理常常比较滞后。需水和用水的动力主要是来自于对更多粮食、饲料和纤维、能源生产、矿产开采、工业和制造业的需求，还来自日益增长的国内需求，对于迅速发展的城市尤其如此。水功能的多样性，对于社会经济发展的重要性以及涉水政策的广泛性，使得很多不同类别的公共或私营部门管理者都分别承担着水资源管理的部分责任。应该如何对这些分别承担的水管理职能进行整合使其更具有建设性，并使相关各方能够共同做出正确的决策呢？

这方面不存在什么灵丹妙药或锦囊妙计，不同的社会需要找到适合自己的方法并用自己的方式实现希望的未来。像千年发展目标一样，可持续发展目标将继续为政府提供关于发展方向的指导和推动力，并使双边与多边援助机构之间进行更好的协调。至于如何确定用水的优先权和水权，需要各利益相关者根据具体情况予以解决（Tremblay，2011）。

贫困人口更容易受到气候变化和其他灾害，甚至经济波动的影响。生活在社会底层的亿万人口往往缺乏基本的水与卫生条件，并且承受着自然灾害和人为灾害最严重的后果。在未来几十年里，我们需要进一步解决贫困问题，并继续关注社会管理、风险安全和社会公平等问题。同时还应考虑对基础设施建设、体制建设、能力建设以及科技创新和应用增加投资。

16.3.1　管理危机：政策框架调整

全球水危机主要是水管理危机（WWAP，2006）。要解决与水相关的挑战，必须改变目前水资源的评估、管理和利用方式。另外，社会各行业应该在其决策过程和影响评估中对水问题给以足够重视。

研究表明，社会管理的前提是具有包容性的体系，以确保建立有效的法律框架、减少不平等现象、实现数据信息的更新和开放以及利益相关者的有效参与（Planet Under Pressure，2012）。包容性的管理体系承认：从区域到全球不同层次和部门之间决策的离散性；性别问题和社会经济各利益相关者的问题；以及公共部门和私营部门之间的相互依存关系等。这个体系对解决水问题也相当适用，因为存在众多的变化因素和需求。例如，必须强调妇女对当地水管理的贡献及其在水相关决策中发挥的作用。另外，在有关粮食问题和能源安全的决策中，也必须考虑到水的问题并予以明确说明。

实现可持续发展的很多途径都与水相关，但是水资源的分配和利用很大程度上是由各产业部门推动的。为了实现"水的未来"的愿景（见序言），需要调整政策框架以加强公共政策和管理体系，其中也包括规划系统和决策过程。

近年来，很多国家都按照实施水资源综合管理的方向调整了水政策。水资源综合管理基本上可以看作是一整套管理方法，其目的是通过对水、土地和相关资源的协调开发与管理，实现水资源的可持续发展。在此基础上，各国可以把水作为发展的催化剂，通过综合性的决策进一步推动可持续发展（Planet Under Pressure，2012）。虽然有很多国家已经在实施水资源综合管理方面取得重大进展，比如落实分散式管理和建立流域机构，但是，还有一些国家在实施方面仍然面临着巨大困难，水利改革也停滞不前（WWAP，2006和2009）。目前水资源综合管理的原则可能过多地趋向于经济效益，社会公平和环境可持续性等问题仍需得到更多的关注（WGF，2012）。例如，以人权为依据，通过社会、政治和行政问责、非歧视和法治等方面有针对性的工作，可以使社会公平问题获得更多的关注（Tremblay，2011）。

不同范围的问题需要不同的解决方法。日益增长的需水和用水量所产生的影响将超越国家界限，使水成为一种重要的国家战略资源。目前，一些跨界河流已经成立流域委员会，以协调不同国家利益并推动技术合作，比如湄公河委员会、赞比西河委员会、奥森河委员会等。另外，许多双边和多边合作或协议也已经建立。例如：埃塞俄比亚复兴大坝引起了下游国家，特别是埃及的关注。2014年8月，埃及、埃塞俄比亚和苏丹同意成立委员会作为合作沟通的平台，并开展关于大坝影响的独立调查（FDRE，2014）。鉴于三个国家分别的法律主张和考虑，该水电站的发电最终将用于改善整个地区的能源安全。因此从整个地区着眼，综合考虑其他经济合作和边界贸易问题（例如粮食和能源），可能会使协商和对话更具建设性。

在性别与水的问题上，也需要更广泛地考虑社会问题中的政治经济因素。要推动性别平等，相关部门机构不仅需要审视自身的体制和行为，更需要深刻认识那些加剧了女性在水资源获取、使用和管理中不平等地位的潜在权力因素和制度障碍。这意味着需要更多关注妇女自身的团结和共同行动，同时也使男性参与到转变观念和调整性别角色的工作中（WGF，2014）。

强调包容性管理的益处是多方面的，不但提供了可操作的实施工具，还可以对政治资源分配和质量控制产生积极的影响。包容性管理有助于：保证水行业规范体系的一致性；加强相关服务的问责和透明度；推广一系列满足基本要求的供水标准；优先考虑贫困人口、边缘群体和弱势群体，支持他们改善用水的诉求；建立有效的监测、评估和实施机制（Tremblay，2011）。

为了实施有效的水资源管理和水务管理，决策者和水务部门都需要对其决策和服务质量承担起责任。建立责任制可以帮助参与水管理的各方明确责任义务，加强投资监管，保护水资源，并对公有或私有的利益相关方的行为进行约束，确保达到一定的质量标准。根据一项世界银行的调查报告，非洲撒哈拉以南地区的水、卫生和健康行业至少有30%的投资被用于不道德行为或腐败（Plummer和Cross，2006）。为了争取到可持续基础设施建设和机制建设方面的投资，必须在水行业和其他相关行业加强反腐败的力度。提高责任感需要政府机构、私有部门和社会团体的决策者共同认识到决策公开透明、利益相关者参与、评估培训和投诉反馈机制对于决策的合法性和有效性非常关键，只有这样才能通过可持续的水和卫生条件的改善使贫困人口长期受益。

实现可持续发展的很多途径都与水相关，但是水资源的分配和利用很大程度上是由各产业部门推动的。

建立责任制是保证管理体系正常运转的核心。管理部门可以通过开展对水务部门守法情况检查等措施，促使这些部门承担起各自的责任。监管措施包括行政手段、法律手段或经济手段等。通过这些措施可以进一步强化其社会责任、行政责任和政治责任，例如：公共预算查询、财务审计、水务部门的预算和执行情况公开、公众报告卡、消费者赔偿机制、标准合同模式以及宣传消费者的权利和义务

灌渠送水到村庄（阿曼内地区）
照片来源：Simon Monk

等。在阿尔巴尼亚，水务部门和客户签署了一种"标准合同"，合同中包括消费者保护法和相关水法的有关法律条款。该合同由水行业的各个利益相关者共同编制，包括了所有的标准内容，例如：服务条款、费用和支付、计量、服务终止和投诉等，确保这些条款都完全符合相关的法律规定。截至2011年年底，已签署了35 000多份这样的标准合同（包括新签合同和续签合同），占全部合同总数的16%（WGF，2013）。

以上政策改革的案例对本章的后半部分也很重要，后面将探讨如何降低风险提升安全，以及如何通过解决水的问题实现更广泛的社会公平。

16.3.2 减小风险和加强水安全

用水者可能还面临着其他风险，但保证用水是其生存的基本要求。气候变化、政治经济波动等因素也会导致附加的风险。因此我们应该采取相应措施：扩大、改善并加强基础设施建设；通过技术创

新提高用水效率；开展适应性管理；维护生态系统功能和自然环境。

投资水资源管理、水务服务以及基础设施的建设、运作和维护等各方面，有助于促进社会经济的发展。尽管各个国家的水利投资净效益与其具体情况相关，但现有证据表明，即使是最保守的估计，历年的供水和卫生设施投资仅从健康保护方面来说依然具有"高成本效益"（UNOSD/UNU，2013）。同样，用于灾害预防、保护水质和废水处理等方面的投资所取得的"成本效益"也非常高。利益相关方之间成本和收益的分配对财务可行性至关重要（FAO，2010）。决策者可以从流域层面进行整体投资效益评估，并综合考虑国内生产、工业、能源、电力、农业、环境等经济指标。项目融资还可采用多种形式的奖励和处罚机制，例如水税、水费、补贴、环境服务费或软贷款等（FAO，2010）。各有关项目可以尝试一些创造性的融资方案，比如从项目的预期受益人中寻找投资伙伴，或者用公共财政的结余资金偿还投资方（2030 WRG，2013）。

水资源管理、用水服务以及基础设施建设等方面的投资其"投资效益比"非常高。

例如：通过投资生态系统建设可以大大节约供水、卫生设施和废水处理的费用（参见第4章）。为保护乌干达纳克维伯大沼泽的生态完整性，每年优化废水处理所需费用为23.5万美元，但大沼泽的水质净化功能对于坎帕拉市却价值200万美元（Russi等，2012）。小流域治理每年可以为纽约市节约3亿美元，并减少50亿美元的建设投资（Perrot-Maitre和Davis，2001）。

项目投资还可以与"绿色经济计划"相结合，以增加面向贫困人口的就业机会和经济增长。据报告，美国在河流修复方面的投资每增加100万美元就可以创造15个就业机会，同时还有减少环境污染等社会效益（Kantor，2012）。另外优先安置贫困人口就业将有助于获得当地群众对涉水项目的支持（2030 WRG，2013）。

水灾害是最具经济和社会毁坏性的自然灾害。过去十年中，与水相关的自然灾害和人为灾害对经济造成的破坏大幅增加，远远超过其直接损失。一

科特迪瓦科霍戈的女童给水缸加满水
照片来源：UN Photo/Ky Chung

次水灾害对发展造成的不利影响可以持续数年或数十年。气候变化的影响可能会使情况更加复杂，因为世界上有些地方的暴雨频率会增加，而另一些地方的干旱情况又会加剧。通过对灾害的预防、准备和协调应对，比如加强滩区管理、建设预警预报系统和提高公众风险意识等，可以极大提高对自然灾害的应对能力和承受能力。在防洪减灾方面，工程和非工程措施相结合特别经济、有效（UN-Water，2014）。

通过技术手段和社会措施也可以减少风险和相关水安全问题。例如废水的资源化利用就是一种尝试。如果废水处理不再只是耗费巨资去处理废物，而是更积极地去发现废水的可利用价值，那将是非常可行和有利的（FAO，2010）。当然不是所有的水都需要达到饮用水标准，可以根据不同的用途选择合适的水处理方式。目前处理后的废水已被越来越多地用于农业灌溉、公园和绿地浇灌或工业冷却系统，有些甚至可以经混合后作

为饮用水源（2030 WRG，2013）。另外废水淤泥所产生的沼气还可以为废水处理厂、公共交通和城市供暖提供能源。

越来越严重的缺水问题也引起了对使用抽水马桶的质疑。在为世界各地的贫民区和临时居民点修建供水与卫生设施时，需要考虑避免传统的抽水马桶或下水道系统，而采用更科学的方法。在人口不断增长、高度密集的城市，还可以考虑采用一些在其他地方负担不起或无法想象，但是在城市里却非常有效甚至是革命性的技术手段（Planet Under Pressure，2012）。当然更大的挑战可能是如何教育和说服人们放弃传统的给排水系统而接受新的方法。目前的全球水资源评估和各国的水资源评估在预测 21 世纪的水需求和解决用水矛盾方面还存在一定不足，气候变化的影响又进一步增加了其不确定性。因此，迫切需要制定一套新的水资源综合评价方法以便为重大决策提供支持。这些评价需要相应的资金支持和能力建设，成为实现可持续发展和监测可持续发展目标进程的有效工具。

水资源综合评价需要可靠的流域水文和地下水资料，以及相关的水需求、取水量、耗水量和排放量等信息。水管理体制或性别差异等问题也需要加强宣传，告知各利益相关方。通过水资源综合评价有助于科学制定投资和管理决策、协调跨行业决策以及促使利益相关方达成妥协和平衡。

为了更好的掌握各个环节的工作情况，需要进一步加强用水和供水情况的监测、模拟和监督能力。信息的公开透明将产生信任感和参与性，对于行为模式的转变非常重要。例如：通过开展用水户参与和宣传教育，可以获得公众对转变用水方式甚至水价上涨的支持和理解。（2030 WRG，2013）。

除了国内生产总值（GDP）和泛经济类指标如温室气体排放（GHG）等，我们也建议把流域水资源核算/水账（WA）作为水资源综合管理和经济评价的工具（UNDESA，2012）。水账这种资源核算方法还应该考虑生态系统功能，在资源效率、生物多样性和生态系统功能之间建立联系，并与水的社会价值相关联（UNEP，2012）。

16.3.3 公平性增长

实现"我们希望的未来"这个目标需要解决的第三类问题就是如何保证公平。事实上，作为可持续发展的主要目标之一，社会公平在发展和水政策

中并没有得到充分体现（参见第 2 章）。因此 2015 年后的世界需要采取新的行动和措施以减少贫困和不平等。

为了实现水和卫生设施的普及，需要加快针对弱势群体的工作进展并确保水和卫生服务的非歧视性。对于存在的地区差异、城乡差异和社会经济群体差异等都有详细的报告（WHO 和 UNICEF，2014a）。在一些水与卫生设施基本普及的国家，也仍然可能存在被忽视的少数群体（见 5.3 节）。

> **由于水的用户及其用途在地区经济和全球经济中发挥的作用千差万别，导致水价变得更加复杂。**

农村地区的水和卫生条件普遍比较差，而城市中缺乏水和卫生设施的人数也在增加（参见第 5 章和第 6 章）。这种情况主要是由于城市贫民区的增长较快，政府没有能力或不愿为这些贫民区建设足够的设施。城市贫困人口［预计 2020 年将达到 9 亿（UN-Habitat，2010）］在极端天气面前也更加脆弱，更有可能面临安全水和卫生设施的缺乏。但是，如 6.2.1 节所述，通过修建供水点等创新性措施可以明显改善临时居民点的饮用水供应。

政策或法规造成的体制性界线会对为临时居民点提供服务造成障碍，各级政府需要设法解决这一问题。可以在现有的工作模式下，与用水方和供水方展开对话，逐步改善情况。政策支持对于普及水与卫生设施也很重要，比如乌干达政府颁布的扶持贫困人口的政策（见专栏 6.1）。

可持续发展和人权观念都要求减少不平等和社会服务中的差异（UNGA，2013）。这要求对投资方向和操作程序进行调整，确保公平的水服务和水资源分配。社会公平不仅是一种道德要求，还可以推动经济发展（参见第 2 章和第 3 章）（WHO，2012b）。但是，尽管可能会有可观的投资回报，很多情况下资金并没有到位。

优先投资基础服务可以释放经济增长的潜力，并打破生产力低下（贫困）与落后的健康和教育之间的恶性循环。当然，如减少发病率这样的效益属

于社会效益，不能直接带来投资回报，所以需要通过政策调控支持那些具有最佳社会效益的投资项目。

有关部门应确保水务单位遵守水利行业政策，这是政府的职责所在。尽管对大多数发展中国家来说，社会目标在政治议程中都占有重要地位，但是实施和管理措施却往往还有一定的差距。因为这些管理制度可能是照搬自发达国家，他们那里的服务设施比较完善，不存在普及水和卫生设施的问题（Gerlach 和 Franceys，2010）。总之，各级政府的政策都应该强调社会公平，并认真抓好落实。

为使效益最大化，服务应能提供到户或入户，这样不仅可以方便地提供良好卫生健康条件，同时也节省了时间。因为机会成本也是投资回报的重要组成部分（WHO，2012b）。此外，服务到户也更加安全，特别是女性在晚上外出取水、使用公共厕所或露天厕所时很可能会遭遇骚扰和暴力侵害。

除了水源之外，供电服务对改善教育状况有重大积极的影响，可以保障学生在天黑后继续学习。提高能源水平，使用清洁燃料做饭和供暖，可以有效减少呼吸系统疾病，对于经常做饭的妇女和陪着母亲做饭的孩子特别有好处。通常水和卫生条件差的地方也缺乏电力供应的设施，人们只能用木柴、煤炭等固体燃料做饭（WWAP，2014）。这也说明基础设施投资的经济效益和减少贫困直接相关。

通过实现社会公平和消除贫困所产生的经济效益，在农业领域也同样适用。如第 3 章所述，在中部非洲地区大型灌区投资的内部收益率是 12%，而 Sahel 地区的小型灌溉项目的内部收益率可以达到 33%。因此扶持小农户的政策不仅是为了公平，更可以刺激农村地区的经济增长。如前文所述，实现水资源合理分配需要加强问责，同时要提高透明度和参与性，以避免资源被少数权力团体垄断。

水资源分配通常是通过行政许可的方式，分配给农业、工业、城镇等不同的用水户和用水行业。确定水价的目的是使有限的水资源向更高收益的方向倾斜，比如获得更高的经济收益或其他收益。而由于水的用户及其用途在地区经济和全球经济中发挥的作用千差万别，导致水价变得更加复杂。实际

上，我们也很难对粮食生产和经济作物生产所产生的经济价值和效益进行简单的比较。所以，公平的水价和用水许可制度应该确保取水排水的有效运行和可持续性，既要支持工业企业和大型灌区的需求，也要支持小型灌溉和粮食生产的需求。

人权领域的用水权和卫生权要求保障所有人平等地获得充足、安全、满意、便利并且能够负担得起的水源用于个人和生活需求（UN，2002）。如果我们不能保证那些相对强势的群体，在社会、经济或文化方面比那些弱势的群体在获得投资和服务方面的正当权益，就可能会存在不平等的现象。水费的承受能力可以通过几种方式测算，例如，水费占全部家庭收入的比例，至于占多大比例合适目前还没有统一的意见（Dar 和 Khan，2011）。

在供水方面，水价或水费通常是按量计费的，水费并没有反映水资源的稀缺性，只是保证清洁供水的基本成本。在一些地方，由于水务成本被低估无法保证良性运转，导致供水服务较差，基础设施疏于维护，也无力扩大供水范围。

低水价政策的初衷是为了使贫困人口也能用上水，但低水价会导致供水范围受到限制，反而将低收入人群排除在公共供水系统之外。出现这种矛盾现象的原因是因为低水价阻碍了供水管网的扩建，就像传统上公共供水是优先服务少数富人而不是全体居民或新移民一样，延续了历史上的不平等。另外一种矛盾现象是有些贫困户还不得不支付相当金额的费用才能获得供水。因为公共供水系统无法满足需求，因此一些临时居民区、低收入区或城乡结合部的供水来自第三方或非正式的供水公司，在这种情况下，穷人可能会比富人支付的水费更高，而水质却更差。

对于自来水供水系统来说，能否接入自来水管网意味着是否能得到供水服务。为了解决贫困人口的供水问题，比水费更重要的是提供自来水管网接入费的补贴或按揭。前文曾提到自来水的费用大大低于其他供水方式。最终，没有自来水的人只有从流动送水车买水，或者到供水站去买水再运回家里。综上所述，一个真正对贫困人口有利的水价政策应该降低管网接入费，同时采用适当的水费标准以维持供水管网的维护和建设。至于水费的承受能力，建议重点考虑那些无力支付水费的人的用水问题，而不是降低所有人的水费，特别是要避免享受低水价的都是富人这种情

况的发生。

世界主要经济领导人和发展机构对全球资源分配和收入差距的拉大表示了严重的关注。"世界经济论坛"指出，"收入差距过大"的趋势是一个全球性的危机（WEF，2014a 和 2014b）。Oxfam 发现这样的财富高度集中是破坏性的和令人担忧的，不仅是因为"财富影响了政府的决策，政策制定会更加偏向富人而伤害了其他的人"（Fuentes-Nieva 和 Galasso，2014）。肯尼亚内罗毕的一个测绘研究项目表明，财富集中也会扭曲水政策和服务方向，那里供水企业主要把水送到从不限量的高消费地区，他们说"尽管增加了对贫困人群的关注，但仍应该优先供应那些付费多、用水多、又有政治影响力的富人"（Ledant 等，2013）。

当前的总体水价偏低，不足以限制富人和工业的过量用水。所以一方面应该通过水价政策鼓励节约用水、有效利用，另一方面更需要宣传教育提高公益意识。水价政策需要与宣传教育、信息共享等措施相结合，共同合理配置水资源建设节水型社会，以实现当今和未来社会的节约用水、公平用水。我们再次重申，可持续发展需要经济、社会和环境三方面共同进步，确保实现社会公平、经济增长和可持续发展。

布隆迪 Regina Pacis 中学的女孩们用水清洗
照片来源：SuSanA Secretariat

可持续发展世界之水

世界水评价计划 | Richard Connor

联合国开发计划署 | Contributers：Hakan TROPP, Marianne Kjellen and Joakim Harlin

在本报告序言部分"2050 愿景：可持续发展的世界"中叙述到，为实现人类与生态系统在全球经济体系中健康、平等地融合发展，须对水资源进行综合管理并提供完备的涉水服务。但只有进行完善的工作部署并切实实施，目标才能实现。

首先，须建立完善的法律和法规体系，以保证管理并可持续使用水资源。所编制的法律法规，要确保后代用水安全在使用量和保护资源不受污染及过度使用间保持一个安全平衡。

其次，急需提供更多的饮用水、环境卫生与健康服务，并提高现有的服务水平。2010 年 7 月联合国大会第 64/292 号决议明确提出饮用水和公共卫生的人权，政府需制定提高饮用水、环境卫生与健康服务水平的宏伟目标以减少受饮用水、环境卫生与健康相关疾病的全球负担、提高生产力，刺激经济增长、降低人群之间的不平等。

第三，增加投资和金融支持是水利事业发展至关重要的措施。水利投资通过有效、透明的管理将大大促进社会、经济、金融和其他领域的增效发展。除了为开发、运行和维护基础设施进行充分融资，还必须增加资金用于开发机构能力和确保良好的治理结构。

第四，管理和分配竞争发展行业的水以应对多方挑战，须保证利益共享。水发展议题应该是多层面对话的核心，这些对话包括国家部长级和多边对话背景下的政策进程、解决冲突的机制，及在讨论跨界水问题的环境下。水资源如何使用，不能仅依靠水管理者来做决定，而应由各种社会经济发展目标和运行决策来获取。政府、民间团体和商业机构在决策制定时均考虑水的因素并以促进部门和边界的合作为目的，才能确保可持续发展的进程。

2015 年后可持续发展目标是一个关键机遇。实现 2030 年可持续发展目标需要跨领域和跨行业的共同努力。水需要被认为是维系各种可持续发展目标和其他发展目标的纽带。某个领域内水效率的提高既可以帮助降低其他领域的压力，又有助于实现和分享更大的社会效益。例如，安全饮用水的供应和卫生设施的改善无疑会提高民众的健康水平和生活质量。水资源管理回应了最大化共同效益能够降低风险，但却需要协调行动。充分考虑在不同发展目标中由水带来的各种挑战和制约，将积极引导在交叉情境下各行业和各领域趋向 2030 年里程碑式目标的实现。

然而，联合国系统关注的核心问题仍是消除贫困和减少不公平，政府有义务保障公民利益。为建成一个水安全、公平和可持续发展的世界，联合国系统将继续细化各项指标并推动 2015 年后发展议程的设定，其重点强调：全面获得水、环境卫生和个人卫生；水资源的可持续利用和开发；公平、参与和负责的水治理；提高废水回用，降低废水污染；维持生态服务；降低涉水灾害对人类及经济造成的损失。

通过具体的、可衡量的全球水可持续发展目标来专门解决以上关键问题，将激发全球各国政府和国际组织采取行动并跟踪千年发展目标后水相关挑战的应对进度。以上每个关键问题均是可持续发展的基础，正如大多数其他可持续发展目标分布在某些行业的涉水部门。在实现"2050 年愿景"可持续发展世界中的水的进程中，解决这些涉水挑战是一个不可回避的中间步骤。

缩略语

2030 WRG	2030 Water Resources Group	2030 水资源组织
ACET	African Centre for Economic Transformation	非洲经济转型研究中心
AfDB	African Development Bank Group	非洲开发银行
AMCOW	African Ministers' Council on Water	非洲水利部长理事会
ASCE	American Society of Civil Engineers	美国土木工程师协会
AU	African Union	非洲联盟
BAT	Best Available Techniques/Technology	现有最佳技术
BGR	Bundesanstalt für Geowissenschaften und Rohstoffe	德国联邦地球科学和自然资源研究所
BRICS	Brazil, Russia, India, China and South Africa	金砖五国：巴西、俄罗斯、印度、中国、南非
BRIICS	Brazil, Russia, India, Indonesia, China and South Africa	金砖六国：巴西、俄罗斯、印度、印尼、中国、南非
CAP	European Union Common Agricultural Policy	欧盟通用农业政策
CBD	Convention on Biological Diversity	生物多样性公约
CRED	Centre for Research on the Epidemiology of Disasters	天主教勒芬大学灾后流行疾病研究中心
DALYs	Disability-adjusted life years	伤残调整寿命年
DEWATS	Decentralized wastewater treatment systems	分散式废水处理系统
DFID	Department for Internal Development (United Kingdom)	英国国际开发署
EAFRD	European Agricultural Fund for Rural Development	欧洲农业发展基金
EBM	Ecosystem-based management	基于生态系统的管理
EC	European Commission	欧盟委员会
ECA	European Court of Auditors	欧洲审计法院
ECCAS	Economic Community of Central African States	中部非洲国家经济共同体
EEA	European Environment Agency	欧洲环境署
EECCA	Eastern Europe, the Caucasus and Central Asia	东欧，高加索和中亚地区
EPA	Environmental Protection Agency	美国环境保护署
EU	European Union	欧盟
FAO	Food and Agriculture Organization of the United Nations	联合国粮农组织
GDP	Gross Domestic Product	国内生产总值
GEF	Global Environment Facility	全球环境基金（《联合国气候变化框架公约》）
GHG	Greenhouse Gas	温室气体
GWP	Global Water Partnership	全球水伙伴
HDI	Human Development Index	人类发展指数
HDR	Human Development Report	人类发展报告
HLPE	High Level Panel of Experts on Food Security and Nutrition	粮食安全和营养高级专家小组
ICARDA	International Center for Agricultural Research in the Dry Areas	国际干旱地区农业研究中心
ICMM	International Council on Mining and Metals	国际采矿与金属委员会

ICPDR	International Commission for the Protection of the Danube River	多瑙河保护国际委员会
ICRISAT	International Crops Research Institute for the Semi-Arid-Tropics	国际半干旱热带地区作物研究所
IEA	International Energy Agency	国际能源署
IFAD	International Fund for Agricultural Development	国际农业发展基金
IGRAC	International Groundwater Resources Assessment Centre	国际地下水资源评估中心
IJC	International Joint Commission (Canada and United States)	国际联合委员会（加拿大和美国）
IPCC	Intergovernmental Panel on Climate Change	政府间气候变化专门委员会
IRC	International Water and Sanitation Centre	国际供水和卫生中心
IUCN	International Union for Conservation of Nature	世界自然保护联盟
IUWM	Integrated Urban Water Management	城市水资源综合管理
IWMI	International Water Management Institute	国际水资源管理研究所
IWRM	Integrated Water Resources Management	水资源综合管理
JMP	WHO/UNICEF Joint Monitoring Programme for Water Supply and Sanitation	供水及卫生联合监测计划（世界卫生组织/联合国儿童基金会）
LSALI	Large-scale Agricultural Lease Investments	大型农业租赁投资
MDGs	Millennium Development Goals	千年发展目标
MEA	Millennium Ecosystem Assessment	千年生态系统评估
NI	Natural Infrastructure	自然基础设施
OECD	Organisation for Economic Co-operation and Development	经济合作与发展组织
OHCHR	Office of the High Commissioner for Human Rights	联合国人权事务高级专员办事处
OWG	Open Working Group	开放工作小组
PES	Payment for Ecosystem/Environmental Services	生态系统服务付费
PV	Solar Photovoltaic	太阳能光伏
RWSN	Rural Water Supply Network	农村供水网络
SDGs	Sustainable Development Goals	可持续发展目标
SEI	Stockholm Environmental Institute	斯德哥尔摩环境研究所
SIDS	Small Island Developing States	小岛屿发展中国家
SIWI	Stockholm International Water Institute	斯德哥尔摩国际水研究所
SMEs	Small and Medium-sized Enterprises	中小企业
SRBC	International Sava River Basin Commission	萨瓦河盆地国际委员会
TNC	The Nature Conservancy	大自然保护协会
UN	United Nations	联合国
UNCESCR	United Nations Committee on Economic, Social and Cultural Rights	联合国经济、社会和文化权利委员会
UNCTAD	United Nations Conference on Trade and Development	联合国贸易和发展会议
UNDESA	United Nations Department of Economic and Social Affairs	联合国经济和社会事务部
UNDP	United Nations Development Programme	联合国开发计划署
UN-DPAC	United Nations Decade Programme on Advocacy and Communication	联合国宣传和沟通十年计划
UNECA	United Nations Economic Commission for Africa	联合国非洲经济委员会
UNECE	United Nations Economic Commission for Europe	联合国欧洲经济委员会

UNECLAC	United Nations Economic Commission for Latin America and the Caribbean 联合国拉丁美洲和加勒比经济委员会
UNEP	United Nations Environment Programme 联合国环境规划署
UNESCAP	United Nations Economic and Social Commission for Asia and the Pacific 联合国亚洲及太平洋经济社会委员会
UNESCO	United Nations Educational, Scientific and Cultural Organization 联合国教科文组织
UNESCWA	United Nations Economic and Social Commission for Western Asia 联合国西亚经济社会委员会
UNGA	United Nations General Assembly 联合国大会
UN-Habitat	United Nations Human Settlements Programme 联合国人类住区规划署
UNIDO	United Nations Industrial Development Organization 联合国工业发展组织
UNISDR	United Nations Office for Disaster Risk Reduction 联合国减灾办公室
UNOSD	United Nations Office for Sustainable Development 联合国可持续发展办公室
UNU	United Nations University 联合国大学
USCB	United States Census Bureau 联合国人口调查局
USGS	United States Geological Survey 联合国地质调查局
WASH	Water, Sanitation and Hygiene 水、卫生和健康
WBCSD	World Business Council for Sustainable Development 世界可持续发展工商理事会
WEF	World Economic Forum 世界经济论坛
WFA	Water Footprint Assessment 水足迹评价
WGF	Water Governance Facility 水治理设施机构
WHO	World Health Organization 世界卫生组织
WMO	World Meteorological Organization 世界气象组织
WNA	World Nuclear Association 世界核协会
WRI	World Resources Institute 世界资源研究所
WSP	Water and Sanitation Program 水与卫生计划
WWAP	World Water Assessment Programme 世界水评价计划
WWF	World Wide Fund For Nature/World Wildlife Fund 世界自然基金会

参考文献

2030 WRG (2030 Water Resources Group). 2009. *Charting our water future: Economic frameworks to inform decision-making.* Washington, DC, 2030 WRG.

_____. 2013. *Managing Water Use in Scarce Environments: A Catalogue of Case Studies.* Washington, DC, 2030 WRG. http://www.waterscarcitysolutions.org/assets/WRG-Managing-Water-Scarcity-Catalogue.pdf

ACET (African Centre for Economic Transformation). 2014. *2014 African Transformation Report: Adding Depth to Africa's Growth.* Accra, ACET.

AfDB (African Development Bank Group). 2010. *Agriculture Sector Strategy 2010-2014.* Agriculture and Agro-industry Department and Operational Resources and Policies Department. Tunis, AfDB.

Africa Progress Panel. 2014. *Africa Progress Report 2014: Grain, Fish, Money – Financing Africa's Green and Blue Revolutions.* Geneva, Switzerland, Africa Progress Panel.

AU (African Union), 2004. *Sirte Declaration on the Challenges of Implementing Integrated and Sustainable Development on Agriculture and Water in Africa.* Assembly of the African Union, Second Extraordinary Session, 27 February 2004. Addis Ababa, AU.

_____. 2008. *Sharm El-Sheikh Commitments for Accelerating the Achievement of Water and Sanitation Goals in Africa.* Assembly of the African Union, Eleventh Ordinary Session, 1 July 2008. Addis Ababa, AU.

_____. 2014. *Decision on the Report on the Implementation of Sharm El-Sheikh Commitments on Accelerating Water and Sanitation Goals in Africa.* Assembly of the African Union, Twenty-second Ordinary Session, 30-31 January 2014. Addis Ababa, AU.

Africare, Oxfam America and WWF-ICRISAT. 2010. *More Rice for People, More Water for the Planet.* WWF-ICRISAT Project, Hyderabad, India.

Alavian, V., Qaddumi, H.M., Dickson, E., Diez, S.M., Danilenko, A.V., Hirji, R.F., Puz, G., Pizarro, C., Jacobsen, M. and Blankespoor, B. 2009. *Water and Climate Change: Understanding the Risks and Making Climate-Smart Investment Decisions.* Washington, DC, The World Bank.

Alexandratos, N. and Bruinsma, J. 2012. *World agriculture towards 2030/2050: The 2012 revision.* ESA Working Paper No. 12-03. Rome, Food and Agriculture Organization of the United Nations (FAO).

AMCOW (African Ministers' Council on Water). 2008. *The eThekwini Declaration and AfricaSan Action Plan.* Made at the AfriSan+5 Conference on Sanitation and Hygiene. February 2008, Abuja, AMCOW. http://www.wsp.org/sites/wsp.org/files/publications/eThekwiniAfricaSan.pdf

_____. 2011. *AMCOW Country Status Overviews – Regional Synthesis Report. Pathways to Progress: Transitioning to Country-Led Service Delivery Pathways to Meet Africa's Water Supply and Sanitation Targets.* Washington, DC, The World Bank/Water and Sanitation Program. http://www.wsp.org/wsp/content/pathways-progress-status-water-and-sanitation-africa

Arab Water Council. 2012. *Arab Strategy for Water Security in the Arab Region to Meet the Challenges and Future Needs for Sustainable Development 2010-2030.* Cairo, Arab Water Council.

ARCADIS/Ecologic/Intersus/Fresh Thoughts/Typsa. 2012. *The role of water pricing and water allocation in agriculture in delivering sustainable water use in Europe.* Final Report for the European Commission. Brussels, ARCADIS.

ASCE (American Society of Civil Engineers). 2011. *Failure to Act: The economic impact of current investment trends in water and wastewater treatment infrastructure.* Washington, DC, ASCE.

Assevero, V.A. and Chitre, S.P. 2012. *Rio 20 - An Analysis of the Zero Draft and the Final Outcome Document 'The Future We Want'.* New York, The Green Impresario. http://ssrn.com/abstract=2177316

Bahri, A. 2009. *Managing the Other Side of the Water Cycle: Making Wastewater an Asset.* GWP-TEC Background Paper No. 13. Stockholm, Global Water Partnership (GWP).

Bain, R., Cronk, R., Hossain, R., Bonjour, S., Onda, K., Wright, J., Yang, H., Slaymaker, T., Hunter, P., Prüss-Ustün, A. and Bartram, J.2014. Global assessment of exposure to faecal contamination through drinking water based on a systematic review. *Tropical Medicine and International Health*, 19(8): 917-927.

Barker, R., van Koppen, B. and Shah, T. 2000. *A global perspective on water scarcity and poverty: Achievements and challenges for water resources management*. Colombo, Sri Lanka, International Water Management Institute (IWMI).

Barnard, S., Routray, P., Majorin, F., Peletz, R., Boisson, S., Sinha, A. and Clasen, T. 2013. Impact of Indian Total Sanitation Campaign on Latrine Coverage and Use: A Cross-Sectional Study in Orissa Three Years following Programme Implementation. *PLoS One*, 8(8): e71438.

Barrantes, G. and Gámez, L. 2007. Programa de Pago de por Servicio Ambiental Hidrico de la Empresa de Servicios Publicos de Heredia. G. Platais and S. Pagiola (eds), *Ecomarkets: Costa Rica's Experience with Payments for Environmental Services*. Washington, DC, The World Bank.

Bartone, C.R. 2011. *From Fear of Cholera to Full Wastewater Treatment in Two Decades in Santiago, Chile*. Washington, DC, The World Bank.

Bates, B.C., Kundzewicz, Z.W., Wu, S. and Palutikof, J.P. 2008. *Climate Change and Water*. Technical Paper of the Intergovernmental Panel on Climate Change (IPCC). Geneva, Switzerland, IPCC Secretariat.

Baum, R., Luh, J. and Bartram, J. 2013. Sanitation: A Global Estimate of Sewerage Connections without Treatment and the Resulting Impact on MDG Progress. *Environmental Science & Technology*, 47(4): 1994-2000.

Beisheim, M. 2013. *The Water, Energy and Food Security Nexus: How to Govern Complex Risks to Sustainable Supply?* SWP Comments 32. Berlin, German Institute for International and Security Affairs (SWP).

Beven, K. 2008. *Environmental Modelling: An Uncertain Future?* London, Routeledge.

Biswas, A. and Tortajada, C. 2010. Water Supply of Phnom Penh: An Example of Good Governance. *International Journal of Water Resources Development*, 26 (2): 157-172.

Boelee, E. (ed.). 2011. *Ecosystems for water and food security*. Nairobi/Colombo, United Nations Environment Programme (UNEP)/ International Water Management Institute (IWMI).

Bohoslavsky, J.P. 2010. *Tratados de protección de las inversiones e implicaciones para la formulación de políticas públicas (especial referencia a los servicios de agua potable y saneamiento)*. Santiago, Chile, United Nations Economic Commission for Latin America and the Caribbean (UNECLAC).
http://www.cepal.org/publicaciones/xml/4/40484/Lcw326e.pdf

Bonn2011 Nexus Conference. 2012. *Messages from the Bonn 2011 Conference: The Water, Energy and Food Security Nexus – Solutions for a Green Economy*.
http://www.water-energy-food.org/en/conference.html

Brander, L. and Schuyt, K. 2010. *Benefits transfer: The economic value of the world's wetlands*. The Economics of Ecosystems and Biodiversity (TEEB).
http://www.teebweb.org/wp-content/uploads/2013/01/The-economic-value-of-the-worlds-wetlands.pdf

Bréthaut, C. and Pflieger, G. 2013. The shifting territorialities of the Rhone River's transboundary governance: A historical analysis of the evolution of the functions, uses and spatiality of river basin governance. *Regional Environmental Change*, October 2013. Springer Berlin Heidelberg.

Brugnach, M., Dewulf, A., Pahl-Wostl, C. and Taillieu, T. 2008. Toward a Relational Concept of Uncertainty: About Knowing Too Little, Knowing Too Differently, and Accepting Not to Know. *Ecology and Society*, 13(2): 30.

Buytaert, W., Baez, S., Bustamante, M. and Dewulf, A. 2012. Web-Based Environmental Simulation: Bridging the Gap between Scientific Modeling and Decision-Making. *Environmental Science & Technology*, 46(4): 1971-1976.

CBD (Convention on Biological Diversity). 2014. *Ecosystem Approach*.
http://www.cbd.int/ecosystem/

Chiplunkar, A., Kallidaikurichi, S. and Cheon Kheong, T. (eds). 2012. *Good Practices in urban water management: Decoding good practices for a successful future*. Mandaluyong City, Philippines, Asian Development Bank (ADB).

Comprehensive Assessment of Water Management in Agriculture. 2007. *Water for Food, Water for Life: A Comprehensive Assessment of Water Management in Agriculture*. London/Colombo, Earthscan/International Water Management Institute (IWMI).

Corcoran, E., Nellemann, C., Baker, E., Bos, R., Osborn, D. and Savelli, H. (eds). 2010. *Sick Water? The central role of wastewater management in sustainable development. A Rapid Response Assessment*. Nairobi/Arendal, Kenya/Norway, United Nations Environment Programme (UNEP)/United Nations Human Settlements Programme (UN-Habitat)/GRID-Arendal.
http://www.grida.no/publications/rr/sickwater/

Costanza, R., de Groot, R., Sutton, P., van der Ploeg, S., Anderson, S.J., Kubiszewski, I., Farber, S. and Turner, R.K. 2014. Changes in the global value of ecosystem services. *Global Environmental Change*, 26: 152-158.

CRED (Centre for Research on the Epidemiology of Disasters). 2014. EM-DAT, the International Disaster Database. Brussels, Université Catholique de Louvain.
http://www.emdat.be/database

D

Dar, O.A. and Khan, M.S. 2011. Millennium development goals and the water target: Details, definitions and debate. *Tropical Medicine and International Health,* 16: 540-544.

Deloitte. 2012. *Ripple Effects: Why water is a CFO issue. CFO Insights.* Westlake, Texas, USA, Deloitte University Press. http://deloitte.wsj.com/cfo/files/2012/08/Why_Water_is_a_CFO_Issue.pdf

Dini, J. 2013. *Investing in Ecological Infrastructure: Nature Delivering Services.* Silverton, South Africa, South African National Biodiversity Institute (SANBI).

Donat Castelló, L., Gil-González, D., Alvarez-Dardet Diaz, C. and Hernández-Aguado, I. 2010. The environmental millennium development goal: Progress and barriers to its achievement. *Environmental Science and Policy,* 13(2): 154-163.

Donat, M.G. et al. 2014. Changes in extreme temperature and precipitation in the Arab region: Long-term trends and variability related to ENSO and NAO. *International Journal of Climatology,* 34(3): 581-592.

E

EC (European Commission). 2011. *Roadmap to a Resource Efficient Europe.* Brussels, EC. COM(2011) 571 final. http://ec.europa.eu/resource-efficient-europe/

_____. 2012. *Elements of strategic programming for the period 2014-2020.* Working paper prepared in the context of the Seminar on "Successful Programming" EAFRD 2014-2020. Brussels, EC.

ECA (European Court of Auditors). 2012. *European Union Development Assistance for Drinking Water Supply and Basic Sanitation in Sub-Saharan Countries.* Special Report No.13. Luxembourg, Publications of the European Union. http://www.europarl.europa.eu/meetdocs/2009_2014/documents/droi/dv/1405_specialreport_/1405_specialreport_en.pdf

_____. 2014. *Integration of EU water policy objectives with the CAP: A partial success.* Special Report No. 4. Luxembourg, Publications Office of the European Union.

ECCAS (Economic Community of Central African States). 2010. *Etude sur l'interconnexion des réseaux électriques des pays membres de la CEEAC.* RSW International/SOGREAH. Synthesis Report. Libreville, ECCAS Publication.

EEA (European Environment Agency). 2009. *Report on good practice measures for climate change adaptation in river basin management plans.* Prepared by Cornelius Laaser, Anna Leipprand, Colette de Roo and Rodrigo Vidaurre. Copenhagen, Ecologic Institute.

Emerton, L. and Bos, E. 2004. *Value: Counting Ecosystems as Water Infrastructure.* Gland/Cambridge, Switzerland/UK, International Union for Conservation of Nature (IUCN).

EPA (Environmental Protection Agency). 2014. *Natural Infrastructure.* http://www.epa.gov/region03/green/infrastructure.html

Ercin, A.E. and Hoekstra, A.Y. 2012. *Carbon and Water Footprints: Concepts, Methodologies and Policy Responses.* WWDR4 Side Publication Series No. 04. Paris, UNESCO.

EU (European Union). 2000. EU Water Framework Directive. Directive 2000/60/EC of the European Parliament and of the Council of 23 October 2000 establishing a framework for Community action in the field of water policy. *Official Journal* 327, 22/12/2000, P. 001-0073.

EU, OECD and UNECE (European Union Water Initiative/EECCA, Organisation for Economic Co-operation and Development, and United Nations Economic Commission for Europe). 2014. Water Policy Reforms in Eastern Europe, the Caucasus and Central Asia. Achievements of the European Union Water Initiative since 2006.

F

FAO (Food and Agriculture Organization of the United Nations). 2002. Project intégré Keita. Rapport terminal du project. Project GCP/NER/032/ITA. Rome, FAO.

_____. 2007. Towards a New Understanding of Forests and Water. *Unasylva,* 58: 229. Rome, FAO.

_____. 2008. *Water and the rural poor: Interventions for improving livelihoods in sub-Saharan Africa.* Rome, FAO ftp://ftp.fao.org/docrep/fao/010/i0132e/i0132e.pdf

_____. 2010. *The Wealth of Waste: The economics of wastewater use in agriculture.* Rome, FAO.

_____. 2011a. *The State of the World's Land and Water Resources for Food and Agriculture: Managing systems at risk.* London/Rome, Earthscan/FAO. http://www.fao.org/docrep/017/i1688e/i1688e.pdf

_____. 2011b. *Water management: Technologies that save and grow.* Factsheet 4: Sustainable crop production intensification (SCPI). Rome, FAO.

_____. 2011c. *The State of Food and Agriculture 2010–2011: Women in agriculture: Closing the gender gap for development.* Rome, FAO. http://www.fao.org/docrep/013/i2050e/i2050e.pdf

_____. 2012a. *Food Security and Agricultural Water.* Rome, FAO.

_____. 2012b. *Coping with water scarcity: An action framework for agriculture and food security.* FAO Water Reports 38. Rome, FAO.
http://www.fao.org/docrep/016/i3015e/i3015e.pdf

_____. 2013a. Reviewed Strategic Framework. Thirty-eighth Session of the Conference. Rome, 11-22 June 2013.
http://www.fao.org/docrep/meeting/027/mg015e.pdf

_____. 2013b. The Director-General's Medium-Term Plan 2014-17 and Programme of Work and Budget 2014-15. Thirty-eighth Session of the Conference. Rome, 11-22 June 2013.
http://www.fao.org/docrep/meeting/027/mf490e.pdf

_____. 2014a. *Building a common vision for sustainable food and agriculture: Principles and Approaches.* Rome, FAO.
http://www.fao.org/3/919235b7-4553-4a4a-bf38-a76797dc5b23/i3940e.pdf

_____. 2014b. *Adapting to climate change through land and water management in Eastern Africa.* Rome, FAO.
http://www.fao.org/3/a-i3781e.pdf

FAO AQUASTAT. Online Database. Rome, Food and Agriculture Organization of the United Nations (FAO).
http://www.fao.org/nr/water/aquastat/main/index.stm

Farber, S.C., Costanza, R. and Wilson, M.A. 2002. Economic and ecological concepts for valuing ecosystem services. *Ecology Economics,* 41: 375-392.

FDRE (Federal Democratic Republic of Ethiopia). 2014. Ministry of Foreign Affairs Website.
http://www.mfa.gov.et/news/more.php?newsid=3432

Foster, S. and Garduño, H. 2004. *China: Towards sustainable groundwater resource use for irrigated agriculture on the North China Plain.* Sustainable Groundwater Management Lessons, Practice Case Profile Collection No. 8. Washington, DC, The World Bank.

Foster, V. and Briceño-Garmendia, C. (eds). 2010. *Africa's infrastructure: A Time for transformation.* Washington, DC, Agence Française du Développement/The World Bank.

Freeman, M.C., Stocks, M.E., Cumming, O., Jeandron, A., Higgins, J.P., Wolf, J., Prüss Ustün, A., Bonjour, S., Hunter, P.R., Fewtrell, L. and Curtis, V. 2014. Hygiene and health: Systematic review of handwashing practices worldwide and update of health effects. *Tropical Medicine and International Health,* 19(8):906-916.

Fuentes-Nieva, R. and Galasso, N. 2014. *Working for the Few: Political capture and economic inequality.* Oxford, UK, Oxfam International.

Gerlach, E. and Franceys, R. 2010. Regulating Water Services for All in Developing Economies. *World Development,* 38: 1229-1240.

Giordano, M., de Fraiture, C., Weight, E. and van der Bliek, J. 2012. *Water for wealth and food security: Supporting farmer-driven investments in agricultural water management.* Synthesis Report of the AgWater Solutions Project. Colombo, Sri Lanka, International Water Management Institute (IWMI).

Glassman, D., Wucker, M., Isaacman, T. and Champilou, C. 2011. The Water-Energy Nexus: Adding Water to the Energy Agenda. *World Policy Papers.* New York/Zurich, USA/Switzerland, World Policy Institute (WPI)/EBG Capital.

Gleeson, T., Wada, Y., Bierkens, M.F.P. and van Beek, L.P.H. 2012. Water balance of global aquifers revealed by groundwater footprint. *Nature,* 488: 197-200, doi:10.1038/nature11295.

Government of Canada, 2014. *First Nations Water Infrastructure.* Canada's Economic Action Plan 2014.
http://actionplan.gc.ca/en/initiative/first-nations-water-infrastructure

Government of Kazakhstan. 2014a. Presidential Decree signed 20 May 2014. Transition to Green Economy. Strategy Kazakhstan 2050. Astana, Ministry of Environmental Protection.

_____. 2014b. State Programme Integrated Water Resources Management.

Government of Pakistan. 2012. *Pakistan Economic Survey 2010-11. Special Section 2: Flood Impact Assessment.* Islamabad, Ministry of Finance.
http://www.finance.gov.pk/survey_1011.html

Govardhan Das, S. V. and Burke, J. 2013. *Smallholders and sustainable wells. A Retrospect: Participatory Groundwater Management in Andhra Pradesh (India).* Rome, FAO.
http://www.fao.org/docrep/018/i3320e/i3320e.pdf

Grey D. and Sadoff C.W. 2007. Sink or Swim? Water security for growth and development. *Water Policy,* 9: 545-571.

Groundwater Governance. n.d.
http://www.groundwatergovernance.org/

Gura, T. 2013. Citizen science: Amateur experts. *Nature,* 496(7444): 259-261.

GWP (Global Water Partnership). 2012. *Groundwater Resources and Irrigated Agriculture: Making a Beneficial Relation More Sustainable.* Stockholm, GWP.
http://www.gwp.org/Global/The%20Challenge/Resource%20material/Perspectives%20Paper_Groundwater_web.pdf

Hallegatte, S., Green, R., Nicholls, R.J. and Corfee-Morlot, J. 2013. Future flood losses in major coastal cities. *Nature Climate Change,* 3: 802-806.

Hantke-Domas, M. and Jouravlev, A. 2011. *Lineamientos de política pública para el sector de agua potable y saneamiento.* LC/W.400, June 2011. Santiago, Chile, United Nations Economic Commission for Latin America and the Caribbean (UNECLAC).
http://www.cepal.org/publicaciones/xml/1/43601/Lcw400e.pdf

Heltberg, R., Siegel, P. B. and Jorgensen, S. L. 2009. Addressing human vulnerability to climate change: Toward a `no-regrets' approach. *Global Environmental Change,* 19: 89-99.

Hipsey, M.R. and Arheimer, B. 2013. Challenges for water-quality research in the new IAHS decade. B. Arheimer et al. (eds). *Understanding freshwater quality problems in a changing world.* Wallingford, UK, International Association of Hydrological Sciences (IAHS) Press, 361: 17-29.

Hirschman, A. 1958. *The Strategy of Economic Development.* New Haven, USA, Yale University Press.

HLPE (High Level Panel of Experts on Food Security and Nutrition). 2013. *Biofuels and food security: A report by The High Level Panel of Experts on Food Security and Nutrition.* HLPE Report 5. Rome, HLPE.

Hoekstra, A.Y. and Chapagain, A.K. 2006. Water footprints of nations: Water use by people as a function of their consumption pattern. *Water Resource Management,* 21: 35-48.
doi: 10.1007/s11269-006-9039-x.

Hoekstra, A.Y., Chapagain, A.K., Aldaya, M.M. and Mekonnen, M.M. 2011. *The Water Footprint Assessment manual: Setting the global standard.* London/Washington, DC, Earthscan.
http://www.waterfootprint.org/downloads/TheWaterFootprintAssessmentManual.pdf

Hutton, G. 2013. Global costs and benefits of reaching universal coverage of sanitation and drinking-water supply. *Journal of Water and Health,* 11(1): 1-12.

ICARDA/GEF/IFAD (International Center for Agricultural Research in the Dry Areas/Global Environment Facility/International Fund for Agricultural Development). 2013. *Rehabilitating Irrigation canals and olive trees boosts farmer income in Jordan.* MENARID Gateway, Knowledge Fact Sheet.
http://southsouthworld.org/office/images/Session_Files-IFAD/Solutions%20submitted%20by%20THE%20FIELD/Rehabilitating%20irrigation%20in%20Jordan.pdf

ICMM (International Council on Mining and Metals). 2012. *Water management in mining: A selection of case studies.* London, ICMM.
http://www.icmm.com/www.icmm.com/water-case-studies

ICPDR (International Commission for the Protection of the Danube River). 1999. *Danube Pollution Reduction Programme: Evaluation of Wetlands and Floodplain Areas in the Danube River Basin. Final Report.* Germany, United Nations Development Programme/ Global Environment Facility (UNDP/GEF)/WWF-Danube-Carpathina-Programme/WWF-Auen-Institut.
http://www.icpdr.org/main/sites/default/files/EVALUATIONWETLANDSFLOODPLAINAREAS.pdf

ICPDR/SRBC (International Commission for the Protection of the Danube River/International Sava River Basin Commission). 2007. *Joint Statement on Guiding Principles for the Development of Inland Navigation and Environmental Protection in the Danube River Basin.* Vienna, ICPDR.

IEA (International Energy Agency). 2011. *The IEA Model of Short-term Energy Security (MOSES) Primary Energy Sources and Secondary Fuels.* Working Paper. Paris, OECD/IEA.

_____. 2012. *World Energy Outlook 2012.* Paris, OECD/IEA.
http://www.worldenergyoutlook.org/

_____. 2013. *World Energy Outlook 2013.* Paris, OECD/IEA.
http://www.worldenergyoutlook.org/

IGRAC (International Groundwater Resources Assessment Center). 2010. Global Groundwater Information System (GGIS). Delft, The Netherlands, IGRAC.
http://www.un-igrac.org/publications/104

_____. n.d. Arsenic in groundwater worldwide.
http://www.un-igrac.org/publications/148

IJC (International Joint Commission: Canada and United States). 2013. *International Joint Commission 2013 Activities Report.* Washington/Ottawa, DC/Ontario, IJC.

IPCC (Intergovernmental Panel on Climate Change). 2008. *Climate Change and Water.* Technical Paper of the Intergovernmental Panel on Climate Change. Geneva, Switzerland, IPCC Secretariat.
https://www.ipcc.ch/publications_and_data/_climate_change_and_water.htm

_____. 2013. *Climate Change 2013: The Physical Science Basis.* Working Group I Contribution to the Fifth Assessment Report of the Intergovernmental Panel on Climate Change. Cambridge/New York, Cambridge University Press.

_____. 2014. *Climate Change 2014: Impacts, Adaptation, and Vulnerability.* Working Group II Contribution to the Fifth Assessment Report of the Intergovernmental Panel on Climate Change. Cambridge/New York, Cambridge University Press.

IRC (International Water and Sanitation Centre). 2009. *Providing Reliable Rural Water Services that Last.* Triple-S Briefing. The Hague, The Netherlands, IRC. http://reliefweb.int/sites/reliefweb.int/files/resources/9CFE920CDCD215C98525767000578B0B-Full_Report.pdf

Italian Development Cooperation. 2009. Keita Project: Where the man stopped the desert (Niger). http://www.abidjan.cooperazione.esteri.it/utlabidjan/EN/best_practices/keita.html

IWMI (International Water Management Institute). 2014. *Analysis of impacts of large scale investments in agriculture on water resources, ecosystems and livelihoods; and development of policy options for decision-makers.* Presentation at the 5th African Water Week, Dakar.

Jiménez Cisneros, B.E., Oki, T., Arnell, N.W., Benito, G., Cogley, J.G., Döll, P., Jiang, T. and Mwakalila, S.S. 2014. Freshwater resources. Intergovernmental Panel on Climate Change (IPCC), *Climate Change 2014: Impacts, Adaptation, and Vulnerability.* Contribution of Working Group II to the Fifth Assessment Report of the IPCC. Cambridge/New York, UK/USA, Cambridge University Press. pp. 229-269.

Jouravlev, A. 2004. *Drinking water supply and sanitation services on the threshold of the XXI century.* Santiago, Chile, United Nations Economic Commission for Latin America and the Caribbean (UNECLAC). http://www.eclac.org/publicaciones/xml/9/19539/lcl2169i.pdf

_____. 2011. *Importancia de los recursos hídricos para el desarrollo socioeconómico de la región (legislación hídrica en la adaptación al cambio climático).* Presented during the Workshop: Definición de Prioridades de Investigación Económica sobre la Relación entre Cambio Climático y Agua en la Región. 30 September-1 October 2011, Panama City, Panama. http://www.eclac.cl/drni/noticias/noticias/8/44648/Panama_30_09_2011.pdf

Justo, J.B. 2013. *El derecho humano al agua y al saneamiento frente a los Objetivos de Desarrollo del Milenio* (ODM). Santiago, Chile, United Nations Economic Commission for Latin America and the Caribbean (UNECLAC). http://www.cepal.org/publicaciones/xml/8/49558/Elderechohumanoalagua.pdf

Kantor, S. 2012. *The Economic Benefits of the San Joaquin River Restoration.* Fresno, USA, Fresno Regional Foundation.

Kariuki, M., Patricot, G., Rop, R., Mutono, S. and Makino, M. 2014. *Do pro-poor policies increase water coverage? An analysis of service delivery in Kampala's informal settlements.* Water and Sanitation Programme. Washington, DC, The World Bank. http://www-wds.worldbank.org/external/default/WDSContentServer/WDSP/IB/2014/02/24/000442464_20140224140639/Rendered/PDF/850530WSP0Box30la0PPPs0Report0Final.pdf

Krop, R., Hernick, C. and Franz, C. 2008. *Local Government Investment in Municipal Water and Sewer Infrastructure: Adding Value to the National Economy.* Watertown, USA, Cadmus Group Inc.

Ledant, M., Nilsson, D., Calas, B. and Flores Fernandez, R. 2013. *Access to Water in Nairobi: Mapping inequalities beyond the statistics.* Nairobi, Global Water Operators' Partnerships Alliance (GWOPA)/the French Institute for Research in Africa (IFRA).

Lockhart, C. and Vincent, S. 2013. *Ending Extreme Poverty in Fragile and Conflict-affected Situations.* Background research paper. Submitted to the High-Level Panel on the Post-2015 Development Agenda.

Lüthi, C., Panesar, A., Schütze, T., Norström, A., McConville, J., Parkinson, J., Saywel, D. and Ingle, R. 2011. *Sustainable Sanitation in Cities: A Framework for Action.* Rijswijk, The Netherlands, Sustainable Sanitation Alliance SuSanA/International Forum on Urbanism (IFoU)/Papiroz Publishing House. http://www.susana.org/en/resources/library/details/1019

Majdalani, R. 2014. *Water and Sanitation within the Sustainable Development Goals (SDGs) and the post-2015 Development Agenda: A Regional Perspective.* PPT delivered to Seminar on Water and Sanitation Services in the Arab Region: Challenges and Opportunities. UNESCWA Technology Center, Amman, 11 March 2014.

Martín, L. and Justo, J.B. 2014. *Análisis, prevención y resolución de conflictos por agua en América Latina y el Caribe.* Unpublished draft. Santiago, Chile, United Nations Economic Commission for Latin America and the Caribbean (UNECLAC).

MEA (Millennium Ecosystem Assessment). 2005a. *Ecosystems and Human Well-Being: Current State and Trends.* Washington, DC, Island Press.

_____. 2005b. *Ecosystems and Human Well-Being: Wetlands and Water Synthesis.* Washington, DC, World Resources Institute (WRI).

_____. 2005c. *Ecosystem and Human Well-Being: Biodiversity Synthesis.* Washington, DC, World Resources Institute (WRI).

Milly, P.C.D., Betancourt, J., Falkenmark, M., Hirsch, R.M., Kundzewicz, Z.W., Lettenmaier, D.P. and Stouffer, R.J. 2010. Stationarity Is Dead: Whither Water Management? *Science,* 319 (5963): 573-574A.

Ministry of Foreign Affairs of the Netherlands. 2012. *From infrastructure to sustainable impact: Policy review of the Dutch contribution to drinking water and sanitation (1990-2011).* IOB Evaluation. The Hague, The Netherlands.

Moriarty, P., Batchelor, C., Abd-Alhadi, F.T., Laban, P. and Fahmy, H. 2007. *The EMPOWERS Approach to Water Governance: Guidelines, Methods and Tools.* Amman, Jordan, Inter-Islamic Network on Water Resources Development and Management (INWRDAM)/EMPOWER Partnership.

Morrison, J., Morikawa, M., Murphy, M. and Schulte, P. 2009. *Water Scarcity and Climate Change: Growing Risks for Business and Investors.* Boston, MA, USA, Ceres.

N

Namara, R.E., Hanjra, M.A., Castillo, G.E., Ravnborg, H.M., Smith, L. and Van Koppen, B. 2010. Agricultural water management and poverty linkages. *Agricultural Water Management,* 97(4): 520-527.

National Constituent Assembly of Tunisia. 2014. Constitution de La République Tunisienne, Article 40. 26 January 2014. In Arabic and in French: http://www.legislation-securite.tn/fr/node/33504?secondlanguage=ar&op=OK&form_build_id=form-8ce23fff422d2fbdbba1fd8b49f484cc&form_id=dcaf_multilanguage_form_render

National Drought Forum. 2012. *Drought and U.S. Preparedness in 2013 and Beyond,* Summary Report and Priority Actions. Washington, DC, December 12-13, 2012. http://www.drought.gov/media/pgfiles/2012-droughtForumFullReport.pdf

Nauges, C. and Strand, J. 2011. *Water hauling and girls' school attendance: Some new evidence from Ghana.* Policy research working paper No. 6443. Washington, DC, The World Bank.

Nikulin, G. 2013. *Regional Climate Modeling Results and Ensemble using RCA4.* PPT delivered to the Fifth Expert Group Meeting of the Regional Initiative for the Assessment of the Impact of Climate Change on Water Resources and Socio-Economic Vulnerability in the Arab Region (RICCAR). Amman, Jordan, 11 December 2013. http://www.escwa.un.org/RICCAR/meetings.asp

O

OECD (Organisation for Economic Co-operation and Development). 2011. *Green Growth Strategy for Food and Agriculture,* Preliminary Report. Paris, OECD.

_____. 2012a. *Environmental Outlook to 2050: The Consequences of Inaction.* Paris, OECD. doi:10.1787/9789264122246-en.

_____. 2012b. *Environmental Outlook to 2050: The Consequences of Inaction, Key Facts and Figures.* Paris, OECD.

OHCHR (Office of the High Commissioner for Human Rights). 2010. *The Right to Water.* Factsheet No. 35, p. 11. http://www.ohchr.org/Documents/Publications/FactSheet35en.pdf

Onda, K., LoBuglio, J. and Bartram, J. 2012. Global access to safe water: Accounting for water quality and the resulting impact on MDG progress. *International Journal of Environmental Research and Public Health, 9(3):* 880-894. doi:10.3390/ijerph9030880.

P

Pahl-Wostl, C. 2007. Transitions towards adaptive management of water facing climate and global change. *Water Resources Management,* 21: 49-62.

Perrot-Maître, D.P. and Davis, P. 2001. *Case Studies of Markets and Innovative Financial Mechanisms for Water Services from Forests.* Washington, DC, Forest Trends Association.

Pickering, A.J. and Davis, J. 2012. Freshwater Availability and Water Fetching Distance Affect Child Health in Sub-Saharan Africa. *Environmental Science & Technology,* 46(4): 2391-2397.

Pimentel, D., Marklein, A., Toth, M.A., Karpoff, M., Paul, G.S., McCormack, R., Kyriazis, J. and Krueger, T. 2008. Biofuel Impacts on World Food Supply: Use of Fossil Fuel, Land and Water Resources. *Energies,* 1: 41-78.

Pittock, J. and Xu, M. 2011. *Controlling Yangtze River Floods: A New Approach.* World Resources Report Case Study. Washington, DC, World Resources Report. http://www.wri.org/sites/default/files/uploads/wrr_case_study_controlling_yangtze_river_floods.pdf

Place J., Dutto, P.R. and Casula, V. 2012. Putting water in the mainstream of your business strategy. *Prism* 1: 69-81. London, Arthur D. Little. http://www.adlittle.com/downloads/tx_adlprism/Prism_01-12_water.pdf

Planet Under Pressure. 2012. *Water Security for a Planet Under Pressure: Transition to sustainability: Interconnected challenges and solutions.* Rio+20 Policy Brief No.1. London, Planet Under Pressure.

Plummer, J. and Cross, P. 2006. *Tackling corruption in the water and sanitation sector in Africa: Starting the dialogue.* Water and Sanitation Program (WSP) working paper. Washington, DC, The World Bank. documents.worldbank.org/curated/en/2006/12/10087913/tackling-corruption-water-sanitation-sector-africa-starting-dialogue

Q

Quick, T. and Winpenny, J. 2014. *Topic Guide: Water security and economic development.* UK, Evidence on Demand. http://www.evidenceondemand.info/topic-guide-water-security-and-economic-development

R

Rockström, J., Karlberg, L., Wani, S., Barron, J., Hatibu, N., Oweis, T., Bruggeman, A., Farahani, J. and Qiang, W. 2010. Managing water in rainfed agriculture – The need for a paradigm shift. *Agricultural Water Management,* 97: 543-550.

Rossi, B. 2006. Aid Policies and Recipient Strategies in Niger. Why Donors and Recipients should not be Compartmentalized into Separate "Worlds of Knowledge". D. Lewis and D. Mosse (eds). *Development Brokers and Translators: The Ethnography of Aid and Agencies.* Bloomfield, CT, USA, Kumarian Press, Inc.

Russi, D., Brink, P., Farmer, A., Badura, T., Coates, D., Förster, J., Kumar, R. and Davidson, N. 2012. *The Economics of Ecosystems and Biodiversity for Water and Wetlands.* Final Consultation Draft. London/Brussels/Gland, UK/Belgium/Switzerland, Institute for European Environmental Policy (IEEP)/Ramsar Secretariat.

RWSN (Rural Water Supply Network) Executive Steering Committee. 2010. *Myths of the Rural Water Supply Sector.* RWSN Perspective No. 4. St. Gallen, Switzerland, RWSN.

S

Sarni, W. 2011. *Corporate Water Strategies.* London, Earthscan.

Sato, T., Qadir, M., Yamamoto, S., Endo, T. and Zahoor, A. 2013. Global, regional, and country level need for data on wastewater generation, treatment, and use. *Agricultural Water Management*, 130: 1-13.

Schaible, G.D. and Marcel, P.A. 2012. *Water Conservation in Irrigated Agriculture: Trends and Challenges in the Face of Emerging Demands.* Economic Information Bulletin No. 99. United States Department of Agriculture (USDA), Economic Research Service.

Scholz, M., Mehl, D., Schulz-Zunkel, C., Kasperidus, H.D., Born, W. and Henle, K. 2012. *Ökosystemfunktionen von Flussauen – Analyse und Bewertung von Hochwasserretention, Nährstoffrückhalt, Kohlenstoffvorrat, Treibhausgasemissionen und Habitatfunktion [Ecosystem functions in floodplains - analysis of floodwater detention, nutrient retention, carbon storage and habitat provision].* Naturschutz und Biologische Vielfalt, 124: 257 S. https://www.bfn.de/fileadmin/MDB/documents/ina/vortraege/2013/2013-Auen-15_Scholz_Oekosystemleistungen_Auen.pdf

Shah, T., Roy, A.D., Qureshi, A.S. and Wang, J. 2003. Sustaining Asia's Groundwater Boom: An Overview of Issues and Evidence. *Natural Resources Forum – A United Nations Sustainable Development Journal,* 27 (2): 130-141.

Shah, T., 2005. Groundwater and Human Development: Challenges and Opportunities in Livelihoods and Environment. *Water, Science & Technology,* 51 (8): 27-37.

Shiklomanov, I. 1999. International Hydrological Programme Database. St. Peterburg, Russia, State Hydrological Institute. http://webworld.unesco.org/water/ihp/db/shiklomanov/

SIWI (Stockholm International Water Institute). 2005. *Making Water a Part of Economic Development: The Economic Benefits of Improved Water Management and Services.* Stockholm, SIWI.

Solanes, M. and Jouravlev, A. 2006. *Water governance for development and sustainability.* Santiago, Chile, United Nations Economic Commission for Latin America and the Caribbean (UNECLAC). http://www.eclac.org/publicaciones/xml/0/26200/lcl2556e.pdf

_____. 2007. *Revisiting privatization, foreign investment, international arbitration, and water.* Santiago, Chile, United Nations Economic Commission for Latin America and the Caribbean (UNECLAC). http://www.eclac.org/publicaciones/xml/0/32120/lcl2827e.pdf

Soussan, J. and Arriens, W.L. 2004. *Poverty and water security: Understanding how water affects the poor.* Water for All Series No. 2. Asian Development Bank (ADB).

Sperling, F. and Bahri, A. 2014. *Powering Africa's Green Growth: The importance of Water-Energy Nexus.* Presentation at the 5th Africa Water Week, Dakar, Senegal.

Spiegelhalter, D., Pearson, M. and Short, I. 2011. Visualizing uncertainty about the future. *Science,* 333: 1393-1400.

Subbiah, A.R., Bildan, L. and Narasimhan, R. 2008. *Background Paper on Assessment of the Economics of Early Warning Systems for Disaster Risk Reduction.* Washington, DC, The World Bank.

T

Tettey-Lowor, F. 2009. *Closing the loop between sanitation and agriculture in Accra, Ghana: Improving yields in urban agriculture by using urine as a fertilizer and drivers & barriers for scaling-up.* MSC thesis. The Netherlands, Wageningen University.

Todd, M.C., Taylor, R.G., Osborn, T.J., Kingston, D.G., Arnell, N.W. and Gosling, S.N. 2011. Uncertainty in climate change impacts on basin-scale freshwater resources. Preface to the special issue: The QUEST-GSI methodology and synthesis of results. *Hydrology and Earth System Sciences,* 15: 1035-1046.

Tremblay, H. 2011. A Clash of Paradigms in the Water Sector? Tensions and Synergies Between Integrated Water Resources Management and the Human Rights-Based Approach to Development. *Natural Resources Journal,* 51: 307-356.

Turpie, J. 2010. *Wastewater treatment by wetlands, South Africa.* The Economics of Ecosystems and Biodiversity (TEEB). http://www.eea.europa.eu/atlas/teeb/water-quality-amelioration-value-of/view

UN (United Nations). 2002. *Substantive Issues Arising in the Implementation of the International Covenant on Economic, Social and Cultural Rights*. General Comment No. 15, E/C.12/2002/11. Economic and Social Council, Committee on Economic, Social and Cultural Rights, New York, UN.

_____. 2012. *Review of the contributions of the MDG Agenda to foster development: Lessons for the post-2015 UN development agenda*. UN System Task Team on the Post-2015 UN Development Agenda. New York, UN.

_____. 2013a. *A new global partnership: Eradicate poverty and transform economies through sustainable development*. The Report of the High-Level Panel of Eminent Persons on the Post-2015 Development Agenda. New York, UN.

_____. 2013b. *Economic and social repercussions of the Israeli occupation on the living conditions of the Palestinian people in the Occupied Palestinian Territory, including East Jerusalem, and the Arab population in the occupied Syrian Golan*. A/68/77–E/2013/13. New York, UN.

_____. 2013c. *TST Issues Brief: Water and Sanitation*. Third Session of the Open Working Group, 22-24 May 2013. United Nations Sustainable Development Knowledge Platform. New York, UN.

UNCESCR (United Nations Committee on Economic, Social and Cultural Rights). 2003. General Comment No. 15: The Right to Water (Arts. 11 and 12 of the Covenant), 20 January 2003. E/C.12/2002/11.

UNCTAD (United Nations Conference on Trade and Development). 2014. *Trade and Development Report, 2014*: 135-145. New York/Geneva, United Nations (UN).
http://unctad.org/en/PublicationsLibrary/tdr2014_en.pdf

UNDESA (United Nations Department of Economic and Social Affairs). 2012. *Back to our Common Future: Sustainable Development in the 21st Century (SD21) project*. New York, United Nations (UN).

_____. 2013a. World Population Prospects: The 2012 Revision. New York, Population Division, United Nations (UN).
http://esa.un.org/wpp/

_____. 2013b. *Global Sustainable Development Report – Executive Summary: Building the Common Future We Want*. New York, Division for Sustainable Development, UNDESA.

_____. 2014. *World Urbanization Prospects: The 2014 Revision, Highlights*. (ST/ESA/SER.A/352). New York, United Nations (UN).
http://esa.un.org/unpd/wup/

UNDESA/UNESCWA. (United Nations Department of Economic and Social Affairs/United Nations Economic and Social Commission for Western Asia). 2013. *Working draft background paper on the analysis, mapping and identification of critical gaps in pre-impact and preparedness drought management planning in water-scarce and in-transitioning-settings countries in West Asia/North Africa*. Expert Group and Inception Meeting on Strengthening National Capacities to Manage Water Scarcity and Drought in West Asia and North Africa. Beirut, 24-25 June 2013.

UNDP (United Nations Development Programme). 2007. *Fighting Climate Change: Human solidarity in a divided world*. New York, UNDP.

_____. 2013. *The Rise of the South: Human Progress in a Diverse World*. New York, UNDP.

UNDP/SEI (United Nations Development Programme/Stockholm Environmental Institute). 2006. *Linking Poverty Reduction and Water Management*. Poverty-Environment Partnership (PEP) report. New York, UNDP.

UNECA (United Nations Economic Commission for Africa). 2000. *The Africa Water Vision for 2025: Equitable and Sustainable Use of Water for Socioeconomic Development*. Produced jointly with UN-Water/Africa, African Development Bank, African Union. Addis Ababa, UNECA.

UNECE (United Nations Economic Commission for Europe). 2011. *Second Assessment of Transboundary Rivers, Lakes and Groundwaters*. New York/Geneva, UNECE.

_____. 2013. *The European Union Water Initiative National Policy Dialogues: Achievements and lessons learned*. New York/Geneva, UNECE.

_____. 2014. Alazani/Ganikh River Basin Water-Food-Energy-Ecosystems Nexus assessment. Unpublished first draft report for comments by the concerned authorities. Prepared by the (KTH, Stockholm) under the supervision of the UNECE Water Convention Secretariat.
http://www.unece.org/fileadmin/DAM/env/documents/2014/WAT/09Sept_8-9_Geneva/The_Nexus_assessment_in_the_Alazani_-consolidated_v19June2014_compatible_1_.pdf

UNECE/OECD (United Nations Economic Commission for Europe/Organisation for Economic Co-operation and Development). 2014. *Integrated Water Resources Management in Eastern Europe, the Caucasus and Central Asia: European Union Water Initiative National Policy Dialogues Progress Report*. New York/Geneva, United Nations/OECD.

UNECLAC (United Nations Economic Commission for Latin America and the Caribbean). 2001. *Network for Cooperation in Integrated Water Resource Management for Sustainable Development in Latin America and the Caribbean*. Circular No.12. Santiago, Chile, UNECLAC.
http://www.eclac.org/drni/noticias/circulares/2/6202/Carta12in.pdf

U

_____. 2013a. *Economic Survey of Latin America and the Caribbean 2013*. LC/G.2574-P. Santiago, Chile, UNECLAC.
http://www.cepal.org/publicaciones/xml/3/50483/EconomicSurvey2013complete.pdf

_____. 2013b. *Social Panorama of Latin America 2013*. Briefing paper. Santiago, Chile, UNECLAC.
http://www.cepal.org/publicaciones/xml/8/51768/SocialPanorama2013Briefing.pdf

UNEP (United Nations Environment Programme). 2002. *The World's International Freshwater Agreements*. Nairobi, UNEP.

_____. 2004. Women and Water Management: An integrated approach. *Women and the Environment,* Nairobi, UNEP. pp. 60–83.

_____. 2009. *From Conflict to Peacebuilding – The Role of Natural Resources and the Environment*. Nairobi, UNEP.

_____. 2011. *Towards a Green Economy: Pathways to Sustainable Development and Poverty Eradication*. Nairobi, UNEP.
http://www.unep.org/greeneconomy/greeneconomyreport/tabid/29846/default.aspx

_____. 2012. *Measuring Water Use in a Green Economy: A Report of the Working Group on Water Efficiency to the International Resource Panel*. Nairobi, UNEP.

UNEP/UNEP-DHI/IUCN/TNC (United Nations Environment Programme/UNEP-DHI Partnership – Centre on Water and Environment/International Union for Conservation of Nature/The Nature Conservancy). 2014. *Green Infrastructure Guide for Water Management: Ecosystem-based management approaches for water-related infrastructure projects*. Nairobi, UNEP.

UNESCAP (United Nations Economic and Social Commission for Asia and the Pacific). 2013. *Statistical Yearbook for Asia and the Pacific 2013*. Bangkok, UNESCAP.

UNESCAP/UNISDR (United Nations Economic and Social Commission for Asia and the Pacific/United Nations Office for Disaster Risk Reduction). 2012. *Reducing Vulnerability and Exposure to Disasters. The Asia-Pacific Disaster Report 2012*. Bangkok, UNESCAP/UNISDR.

UNESCO (United Nations Educational, Scientific and Cultural Organization). 2012. *World's groundwater resources are suffering from poor governance*. UNESCO Natural Sciences Sector News. Paris, UNESCO.

UNESCWA (United Nations Economic and Social Commission for Western Asia). 2013a. Drought in the ESCWA Region: Technical Material. E/ESCWA/SDPD/WP/2013.

_____. 2013b. *Water Development Report 5: Issues in Sustainable Water Resources Management and Water Services*. New York, United Nations (UN).

UNESCWA/BGR (United Nations Economic and Social Commission for Western Asia/Bundesanstalt für Geowissenschaften und Rohstoffe). 2013. *Inventory of Shared Water Resources in Western Asia*. Beirut, UNESCWA.

UNGA (United Nations General Assembly). 2001. *Road map towards the implementation of the United Nations Millennium Declaration*. Report of the Secretary General. Fifty-sixth session. 6 September 2001. New York, UN.

_____. 2010. *The human right to water and sanitation*. Sixty-fourth session, 3 August 2010. 2A/RES/64/292. New York, UN.

_____. 2013. *Report of the Special Rapporteur on the human right to safe drinking water and sanitation*. Sixty-eighth session, 5 August 2013. A/68/264. New York, UN.

_____. 2014. *Report of the Open Working Group on Sustainable Development Goals established pursuant to General Assembly resolution 66/288*. 12 September 2014. Resolution A/RES/68/309. New York, UN.

UN-Habitat (United Nations Human Settlements Programme). 2010. *State of the World's Cities 2010/2011 Report: Bridging the Urban Divide*. Nairobi, UN-Habitat.

_____. 2011. *World Water Day 2011: Water and urbanization. Water for Cities: Responding to the urban challenge. Final Report* Nairobi, UN-Habitat.

_____. 2013. *State of the World's Cities 2012/2013: Prosperity of Cities*. Nairobi, UN-Habitat.

UNICEF (United Nations Children's Fund). 2013. *WASH Sector, Syria*. PPT presentation. Damascus, October 2013.

UNIDO (United Nations Industrial Development Organization). 2008. *Policies for Promoting Industrial Energy Efficiency in Developing Countries and Transition Economies, Executive Summary*. Vienna, UNIDO.

_____. 2011a. *UNIDO Green Industry Policies for supporting Green Industry*. Vienna, UNIDO.
http://www.unido.org/fileadmin/user_media/Services/Green_Industry/web_policies_green_industry.pdf

_____. 2011b. *UNIDO Green Industry Initiative for Sustainable Industrial Development*. Vienna, UNIDO.
http://www.greenindustryplatform.org/wp-content/uploads/2013/05/Green-Industry-Initiative-for-Sustainable-Industrial-Development.pdf

_____. 2013. The Lima Declaration. 15th Session of UNIDO General Conference. Lima, Peru, 2 December 2013. Vienna, UNIDO.
http://www.unido.org/fileadmin/user_media_upgrade/Media_center/2013/News/GC15/UNIDO_GC15_Lima_Declaration.pdf

_____. 2014. *UNIDO-Industry Partnerships*. Presentation by I. Volodin at 2014 UN-Water Annual International Zaragoza Conference. Preparing for World Water Day 2014: Partnerships for improving water and energy access, efficiency and sustainability. 13-16 January 2014. Vienna, UNIDO.
http://www.un.org/waterforlifedecade/water_and_energy_2014/presentations.shtml

UNISDR (United Nations Office for Disaster Risk Reduction). 2012. *Infographic on Impacts of Disasters since the 1992 Rio de Janeiro Earth Summit.*
http://www.unisdr.org/files/27162_infographic.pdf

UNOSD/UNU (United Nations Office for Sustainable Development/ United Nations University). 2013. *Water for Sustainability: Framing Water within the Post-2015 Development Agenda.* Incheon/Hamilton, Republic of Korea/Canada, UNOSD/UNU.

UN-Water. 2012. *The UN-Water Status Report on the Application of Integrated Approaches to Water Resources Management.* New York, UN-Water.

_____. 2013. *The Post-2015 Water Thematic Consultation Report: The World We Want.* New York, UN-Water.
http://www.unwater.org/downloads/Final9Aug2013_WATER_THEMATIC_CONSULTATION_REPORT.pdf

_____. 2014. *A Post-2015 Global Goal for Water: Synthesis of key findings and recommendations from UN-Water*. New York, UN-Water.
http://www.un.org/waterforlifedecade/pdf/27_01_2014_un-water_paper_on_a_post2015_global_goal_for_water.pdf

UN-Water/FAO. 2007. *2007 World Water Day: Coping with Water Scarcity: Challenge of the twenty-first century.*
http://www.fao.org/nr/water/docs/escarcity.pdf

UN-Women. 2012. *The Future Women Want: A Vision of Sustainable Development for All.* New York, United Nations (UN).

USCB (United States Census Bureau). 2012. *International Programs. World Population.*
http://www.census.gov/population/international/data/worldpop/table_population.php

USGS (United States Geological Survey). 2013. *Land subsistence.*
http://ga.water.usgs.gov/edu/earthgwlandsubside.html

V

van den Berg, C. and Danilenko, A. 2011. *The IBNET Water and Sanitation Performance Blue Book 2011.* Washington, DC, The World Bank.

van der Gun, J. 2012. *Groundwater and global change: Trends, opportunities and challenges.* WWDR4 Side Publication Series No. 01. Paris, UNESCO.

Viviroli, D., Archer, D.R., Buytaert, W., Fowler, H.J., Greenwood, G.B., Hamlet, A.F., Huang, Y., Koboltschnig, G., Litaor, M.I., López-Moreno, J.I., Lorentz, S., Schädler, B., Schreier, H., Schwaiger, K., Vuille, M. and Woods, R. 2011. Climate change and mountain water resources: Overview and recommendations for research, management and policy. *Hydrology and Earth System Sciences,* 15: 471-504.

Vörösmarty, C.J., McIntyre, P.B., Gessner, M.O., Dudgeon, D., Prusevich, A., Green, P., Glidden, S., Bunn, S.E., Sullivan, C.A., Reidy Liermann, C. and Davies, P.M. 2010. Global threats to human water security and river biodiversity. *Nature,* 467: 555-561.

W

Wang, J., Rothausen, S., Conway, D., Zhang L., Xiong, W., Holman, I. and Li, Y. 2012. China's water–energy nexus: Greenhouse-gas emissions from groundwater use for agriculture. *Environmental Research Letters,* 7014035.

WaterAid India. 2008. *Feeling the Pulse: A study of the Total Sanitation Campaign in Five States.* New Delhi, WaterAid India.

WBCSD (World Business Council for Sustainable Development). 2012. *Water valuation: Building the business case.* Geneva, Switzerland, WBSCD.
http://www.wbcsd.org/Pages/EDocument/EDocumentDetails.aspx?ID=15099&NoSearchContextKey=true

WEF (World Economic Forum). 2014a. *Global Risks 2014: Ninth edition.* Geneva, Switzerland, WEF.

_____. 2014b. *Outlook on the Global Agenda 2014.* Geneva, Switzerland, WEF.

WGF (Water Governance Facility). 2012. *Human Rights-Based Approaches and Managing Water Resources: Exploring the potential for enhancing development outcomes.* WGF Report No. 1. Stockholm, Stockholm International Water Institute (SIWI).

_____. 2013. *Mutual Rights and Shared Responsibilities in Water Services Management: Enhancing the User-Provider Relation.* WGF Report No. 2. Stockholm, Stockholm International Water Institute (SIWI).

_____. 2014. *Mainstreaming Gender in Water Governance Programmes: From Design to Results.* WGF Report No. 4. Stockholm, Stockholm International Water Institute (SIWI).

WHO (World Health Organization). 2011. *Guidelines for Drinking Water Quality: Fourth edition.* Geneva, Switzerland, WHO.

_____. 2012a. *UN-Water Global annual assessment of sanitation and drinking-water (GLAAS) 2012 report: The challenge of extending and sustaining services.* Geneva, Switzerland, WHO.

_____. 2012b. *Global costs and benefits of drinking-water supply and sanitation interventions to reach the MDG target and universal coverage.* Geneva, Switzerland, WHO.

_____. 2014. *Investing in water and sanitation: Increasing access, reducing inequalities.* Geneva, Switzerland, WHO.

_____. n.d. *Definition of food security* (World Food Summit of 1996). WHO
http://www.who.int/trade/glossary/story028/en/

WHO/DFID (World Health Organization/Department for Internal Development). 2009. *Vision 2030: The resilience of water supply and sanitation in the face of climate change.* Geneva, Switzerland, WHO.

WHO and UNICEF (World Health Organization/United Nations Children's Fund). 2011. *Drinking water: Equity, Safety and Sustainability.* Geneva/New York, WHO/UNICEF.

_____. 2012. *Progress on drinking water and sanitation: 2012 update.* New York, WHO/UNICEF Joint Monitoring Programme for Water Supply and Sanitation.

_____. 2013. *Progress on Drinking Water and Sanitation: 2013 Update.* New York, WHO/UNICEF Joint Monitoring Programme for Water Supply and Sanitation.

_____. 2014a. *Progress on drinking water and sanitation: 2014 Update.* New York, WHO/UNICEF Joint Monitoring Programme for Water Supply and Sanitation.

_____. 2014b. Data and estimates. New York, WHO/UNICEF Joint Monitoring Programme for Water Supply and Sanitation.
http://www.wssinfo.org/

Williams, E.D. and Simmons, J.E. 2013. *Water in the energy industry: An introduction.* London, BP (British Petroleum) International Ltd.

WMO (World Meteorological Organization). 2009. *Guide to Hydrological Practices 6th edition.* WMO Publication No. 168. Geneva, Switzerland, WMO.

WNA (World Nuclear Association). 2013. Nuclear Power in Saudi Arabia. Updated December 2013.
http://www.world-nuclear.org/info/Country-Profiles/Countries-O-S/Saudi-Arabia/

World Bank. 2007a. *World Development Report 2008. Agriculture for Development.* Washington, DC, The World Bank.

_____. 2007b. *Cost of pollution in China: Economic estimates of physical damages.* Washington, DC, The World Bank.

_____. 2010a. *Economics of Adaptation to Climate Change: Synthesis Report.* Washington, DC, The World Bank.
http://www-wds.worldbank.org/external/default/WDSContentServer/WDSP/IB/2012/06/27/000425970_20120627163039/
Rendered/PDF/702670ESW0P10800EACCSynthesisReport.pdf

_____. 2010b. *Climate Finance in the Urban Contex.* Issues Brief No. 4. Washington, DC, The World Bank.
http://wbi.worldbank.org/wbi/Data/wbi/wbicms/files/drupal-acquia/wbi/578590revised0101Public10DCFIB0141A.pdf

_____. 2010c. *Climate Risks and Adaptation in Asian Coastal Megacities.* Washington, DC, The World Bank.

_____. 2011. *Thailand environment monitor: Integrated water resources management - A way forward.* Washington, DC, The World Bank.

_____. 2012. *A Primer on Energy Efficiency for Municipal Water and Wastewater Utilities.* Technical Report No. 1. Washington, DC, Energy Sector Management Assistance Program, The World Bank.

_____. 2013. Thirsty Energy. *Water Papers 78923.* Washington, DC, Water Unit, Transportation, Water and ICT Department, Sustainable Development Vice Presidency, The World Bank.

World Economics. 2014. *World Economics: Global Growth Tracker.*
http://www.worldeconomics.com/papers/Global%20Growth%20Monitor_7c66ffca-ff86-4e4c-979d-7c5d7a22ef21.paper

Wouters, P. 2011. Climate Change and its implications for sustainable development and cooperation in the Nile Basin: Threats and opportunities to Nile Basin Cooperation. Presentation at the 3rd Nile Basin Development Forum, 26-28 October 2011, Kigali, Rwanda.
http://www.slideshare.net/jmccaffery57/pat-wouters-kigali-keynote-talk-27-oct-2011-last

WSP (Water and Sanitation Program) 2013. *Review of Community-Managed Decentralized Wastewater Treatment Systems in Indonesia.* Washington, DC, The World Bank.
http://www.wsp.org/sites/wsp.org/files/publications/WSP-Review-DEWATS-Indonesia-Technical-Paper.pdf

WWAP (World Water Assessment Programme). 2006. *The United Nations World Water Development Report 2: Water: A Shared Responsibility.* Paris/New York, UNESCO/Berghahn Books.

_____. 2009. *The United Nations World Water Development Report 3: Water in a Changing World.* Paris/New York, UNESCO/Earthscan.

_____. 2012. *The United Nations World Water Development Report 4: Managing Water under Uncertainty and Risk*. Paris, UNESCO.

_____. 2014. *The United Nations World Water Development Report 2014: Water and Energy*. Paris, UNESCO.

_____. 2015. *Facing the Challenges. Case Studies and Indicators*. Paris, UNESCO.

WWF (World Wide Fund For Nature). 2008. *Water for life: Lessons for climate change adaptation from better management of rivers for people and nature*. Gland, Switzerland, WWF.

_____. 2012. *Living Planet Report 2012: Biodiversity, Biocapacity and Better Choices*. Gland, Switzerland, WWF international.

WWF/DEG KFW Bankengruppe. 2011. *Assessing Water Risk: A Practical Approach for Financial Institutions*. Berlin, WWF Germany.

Zekri, S., Karimi, A. and Madani, K. 2014. *Groundwater Policing for a Sustainable Food Supply in Oman*. Paper delivered to the 41st International Association of Hydrologists (IAH) Congress: Groundwater: Challenges and Strategies. Moroccan Chapter. 15-19 September 2014, Marrakech.